with クロスワード 5

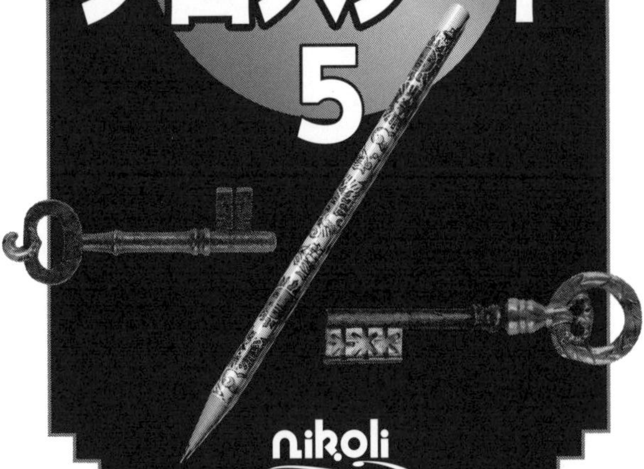

nikoli

ごあいさつ

言葉と親しくなってしまう人気シリーズ、『withクロスワード』の第５巻です。今回もオーソドックスなクロスワードパズルばかり、全60問をご用意しました。既刊１～４巻とのつながりはありませんので、この巻だけ単独でもお楽しみいただけます。

クロスワードパズルの遊び方は、ご存じのとおりです。タテヨコのカギを読んで、思い浮かんだ言葉をワクの中にカナで書き入れていってください。なお、カギの文中に現れる(→)、(↓)は、それぞれヨコのカギとタテのカギを表します。「(→)１」とあれば、ヨコのカギの１に入る言葉のことを指しているのです。

問題が解けたら、二重ワクに入った文字を順に並べると、問題の内容と関係があったりなかったりする言葉が出ます。解いたあとの「おまけ」としてお楽しみください。

頭を使いつつ、肩の力は抜いて。いつでもどこでも、すぐに遊べる１冊です。あなたのおそばにクロスワードパズルを。

ニコリ

with クロスワード5

目次

クロスワード作者

荒井大輔　猪野裕靖　井本雅博　岩本真理
上谷紘冬　内野カ一　遠藤郁夫　小川昌孝
奥山光幸　小椋三寛　加藤秀子　加藤真文
金城正史　清見卓　桑子和幸　小林裕子
城田篤　新保謙　末廣隆典　角谷陽一
高橋宗彦　髙柳優　竹内恵美子　田畑純子
塚田聖　塚田陽太郎　対馬尚行　坪田識稔
中村和寛　貫名英宣　沼億　野池悦子　野中亜紀
東田大志　百海孝弘　前島奨太　前田芳孝
溝口透　三津谷晴子　村上友一　森陽里
森永麻香　矢野麻里　矢野龍王　山本俊治
石井圭司　福本詩乃　本野しおり　水木知之

クロスワード編集：竺友信
イラスト：清水眞理　北条明　みりのと
デザイン：吉岡博

第1章

1～30

(9マス×9マス)

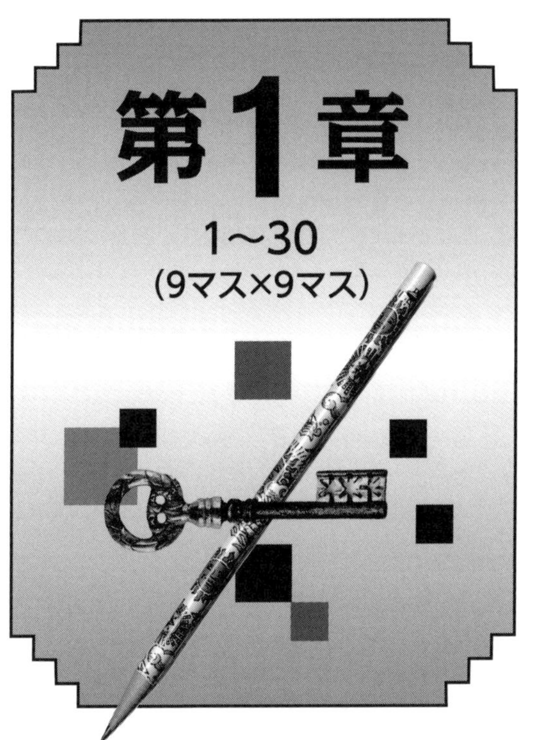

1 五十音順で最初

作●ぶんかぶ

➡ ヨコのカギ

1 真っ先にやってきたぜ！このクロスワードの問題もある意味そうだぜ！
2 バック――＝舞台裏
3 ハニーはハチが集めてきたこれのこと
4 体を動かす基盤。歩いたりスクワットしたりで鍛える
5 よく似てる！（その1）
6 積もれば山となる
8 「――で風を切る」といえば大威張りで得意げな様子
9 一寸法師のはお箸
11 本書で「withクロスワード5」とタテに書かれているところ
13 カラオケでは画面に表示
15 夫婦になって25年のお祝い
17 よく似てる！（その2）
19 熱いうちに打て
22 お寺のはゴーンといい音を響かせたりする
24 清書の前に記したもの
26 小や中よりビッグ
28 これのこれはオモテ
29 じめじめのシーズン。梅雨もこれ
30 洗いにして食べたりする魚

⬇ タテのカギ

2 パンジーの別名は三色――
4 五十音順で最初に来る県
7 基本的に車窓からの眺めは楽しめないタイプの電車
9 お店を――にして、仲間内だけで楽しもう
10 トーストによく合う乳製品
11 母の名は「失敗」
12 鍋や釜などを使うことなくダイレクトにあぶり、焼く
14 後ろに「応答」とつきがち
16 ある鷹は爪を隠す
18 囲碁や将棋のファースト・ムーブ
20 反対語は「偽（ぎ）」
21 預金のは年1％未満なのに、借金のは年10%以上なのもざらにある
23 謄本やコピーはこれ
25 すごろくのスタート
27 ダウン――　ゴースト――
29 不審に思うこと。犯人ではないかと――をかけられる
30 漢字だと「凩」とも書く
31 ――うどんの具は油揚げ
32 100年を1単位とする区分。今は21――

＊二重ワクに入った文字をA～Iの順に並べてできる言葉は何でしょう？

1	7	10		16	21	■	29	31 A
■	8	E	■	17		25		
2			12	■	22	B		
3 D		■	13	18	■	26		■
	■	11		H	23		■	32
■	9		■	19		■	30	F
4		C	14	■	24	27		
5				20	■	28 I		■
6 G		■	15					

A	
B	
C	
D	
E	
F	
G	
H	
I	

2 フラフラしてます

作●一ノコト

ヨコのカギ

1 壺で捕る海の生き物
2 飾りに飾ったおべんちゃら
3 他人に頼らず売り込む
4 前後で担いで人を運ぶ
5 自治体の規模が大きくなり、場から所に変わりました
6 感情や時代などの大きな動き
11 多くの物は入りません
12 刻んで薬味にする細いネギ
13 突かれてびっくり
15 扉に付けて鍵で開け閉め
16 天然の物は枯れるが人工の物は枯れない
17 フラフラしてます
18 災害が残す被害
21 夏は出にくい日没後の水滴
22 日射さえぎる空模様
25 尊大な人はここで指図する

タテのカギ

1 宿泊地への行き帰り
4 丈夫な骨を形成するために必要不可欠な栄養素
7 中国古典由来の言葉
8 天井の上で雨風防ぐ
9 目的を同じくする集団
10 あんかけのとろみの元
12 前からは9番目、後ろからだと18番目
13 劣化したブレーキは悪い
14 文から要らないものを消す
16 正義の味方が根源に立ち向かう
18 キャップの前方に突き出た部分
19 一人で歌う
20 京都の西陣織などで使われる染色方法
22 考え込むときにはひねる
23 刺身の脇役
24 トイレの嫌な臭いの元
26 二人で歌う
27 タルトタタンやパイに使われる果物

＊二重ワクに入った文字をA～Dの順に並べてできる言葉は何でしょう?

A
B
C
D

1	7	■	12	14		20	■	26
2	B	9			■	21	23	C
3			■	15				
■		■	13		■		■	
4		10		■	18		24	
	■		■	16		■		■
5	8				■	22		27
6 D			■	17	19		A	
	■	11				■	25	

3 乗って飛んで走って

作●くだぎつね

ヨコのカギ

1 走るときに動かす体の部分
2 ジャーや釜でお米を調理
3 スピードスケートの選手はここを素早く滑る
4 眠るときに就く
5 子どもが多いので車はあまり速く走らない（はずの）道
6 自転車よりタイヤが多くて小さい子でも乗りやすい
9 破れても山や河はある
11 水を入れてリレーすることもある容器
13 サナギから新しい姿に
14 SLはこれの力で走る
16 ハンドルやボタンなどが作動するまでの余裕
18 英語で「if」を使うような文の作り方
19 かぶれることもある和風の塗料
21 少しずつ伸びる体の部分
23 朝夕にこれを配るバイクや自転車が走ったりする
25 地球上で走れる所はほとんどこれ
27 自分で払うときに切る
29 競争の結果干支の３番目に
31 厚手で少し小さめの敷物

タテのカギ

1 陸上競技などの選手
5 飛行機の左右に付いている
7 お酒などを少し飲んでみる
8 ぼーっとするとき見つめる
10 競走馬にもいる、王子用の馬？
12 ゴーヤーともいう特徴的な味の野菜
14 尺の10分の１
15 髪や肌などのお手入れ
17 駅伝でそれぞれの選手が走るパート
18 飛行機が離着陸のとき走る
20 時代劇で犯人を追いかける役人が掲げる武器
22 都会には高層のものが多い
23 ――に構えた皮肉な態度
24 天気雨の日は狐がしている
26 実業団などに所属せず趣味で走る人は――ランナー
28 列車や市の名前にも付けられている、空の七星のこと
30 馬や歩道にあるシマ模様
32 このカギの番号はこれではなく偶数
33 ジョギングとは少し違う、走る運動

1	7	■	14		20	24 F		32
2		10		■	21		■	
3	B		■	18			28	
	■	11	15		■	25	D	■
4	8	■	16	C	22	■	29	33
■	9 G	12	■	19		26	■	
5			17		■	27	30 A	
	■	13		■	23			
6		E				■	31	

＊二重ワクに入った文字をA～Gの順に並べてできる言葉は何でしょう？

A	
B	
C	
D	
E	
F	
G	

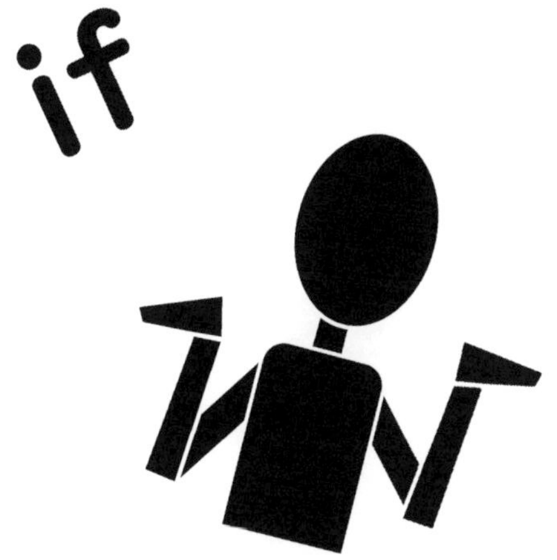

4 針千本は嫌だから

作●ししまる

➡ ヨコのカギ

1 おもに日本料理を作ります
2 松前漬けに入っている海藻
3 難しい字を読む助けになる
5 柔道の別称。柔を訓読みに
6 芽を踏まれて強くなる穀物
7 苦しい家計を改善する工夫
10 職場でなく家でテレワーク
13 同類のもの。類を訓読みに
15 成長した硬めの茶葉を使う
17 沖縄名物の皮付き豚の角煮
18 狂言とともに伝統的な演劇
19 火葬すること。――に付す
20 温泉で着ます。ゆかたとも
21 瀑布の水が落ち込む深い淵
23 針千本は嫌だから破らない
24 昔の本。買い取る店もある
26 古くは富本銭とか和同開珎
28 空振りのバットが切るもの
30 己の能力や功績に自信あり

⬇ タテのカギ

1 左右の値が同じと示す記号
4 曖昧なままハッキリさせず
8 塩やレモン汁で食す牛の舌
9 入国を許可するための査証
11 切断面が丸くなるカット法
12 睡眠時に上と下がくっつく
14 トゲを持った低木類の総称
16 専用の皿もある熱々の料理
18 おにぎりを包む黒系の食材
19 昔の商家の売買勘定ノート
21 恥は掻き捨てという非日常
22 キャスティングがピッタリ
24 ソフトクリームがのる円錐
25 犬がウーッ。猫がシャーッ
27 早春に出るスギナの胞子茎
29 模様が一切なくてスッキリ
31 腹に残る母とのつながり跡
32 台詞に抑揚がなく一本調子
33 そのニュースや動画は偽物

1	8	12		■	21		27	32
2	G		■	19		■	28	B
	■	13	16		■	24		
3	9	■	17		22	E	■	
■	10	14		D			29	■
4	■	15 A				■	30	33
5	11		■	20		25	■	
6 C		■	18		■	26	31 F	
7				■	23			

＊二重ワクに入った文字をA～Gの順に並べてできる言葉は何でしょう？

A	
B	
C	
D	
E	
F	
G	

5 在庫一掃

作●Asaka

➡ヨコのカギ

1 ここが広いとガッシリした印象を与える
2 絵が上手だね、画家の――があるかも
3 どこまでも広がるしょっぱい水
4 これなら自信あり、な――ジャンル
5 在庫一掃
6 食事の前に手を拭く
8 弟子の独立を許可すること
11 誰かに支配されている人々
13 高所作業に長けた職人
15 そのまま焼いてもスイーツや焼酎にしてもおいしい
17 年の始めのスリーデイズ
18 爪をつけて演奏する場合もある日本古来の楽器
19 ミニチュアガーデン
20 すぐには出さない――の手
22 パワーには自信あり
24 内輪ネタ＝――話
25 ハウスルール
27 海や山のボス的存在

⬇タテのカギ

2 思い出がぐるぐると
7 ご飯、酒、お風呂、あなたの仕事の後の――は何？
9 余った資金を翌年に
10 風船に空気を入れ過ぎると…パーン！
11 脚部をぴったり覆う。全身用もある
12 店――　門――　電話――
13 名声とセットで手にすることが多いかも
14 金属の輪っかをつなげて長くしたもの
16 お刺身やそばなどの薬味。ツーンとくる
18 プライバシーを気にする人におすすめの部屋
19 労働者を送り込むこと
20 お静かに、大きな――は立てないでね
21 ――不思議な物語
23 ➡18や琵琶などで演奏する日本古来のミュージック
25 何だかわからない恐ろしいもの
26 ニオイはきついがスタミナアップの効果あり
27 お布団や人肌の――が心地良い

28　電話番号を登録しておけば
誰からのかわかるかも

6 はじめることが大事

作●まいなすよん

ヨコのカギ

1 はじまりの地点。↔ゴール
2 「千里の——も一歩から」はじめることが大事です
4 曲などのはじまり、導入部
5 麻雀で、牌を取ってくる
6 人類がはじめのうち使っていた道具
7 釣りのはじめからおわりまでいくらでも魚がとれる
9 水際の陸地
12 イネ科の多年草。——の髄から天井のぞく
13 水をえた——のように活発
16 １と２と３を足すとこの数
18 ちょっとの違い
20 はじめに戻っちゃうことを——の木阿弥（もくあみ）という
22 はじめチョロチョロ中パッパ、赤子泣いても蓋取るな、は、うまいこれを炊く心得
23 ものごとのはじまりの要因
25 同じ数量を何度か加算した
26 自然の地形を平面に写した
28 お店をはじめる
30 ゴルフボールをここに置いて、はじめの１打を
32 ネズミからはじまり、12種類たどってネズミに戻る
34 はじめに——準備をして、それから本番
36 どれも優秀、——ぞろいだ

タテのカギ

1 クロスワードのカギの番号はたいがい左上のここからはじまる
3 何かをはじめる最初の演説やあいさつ
8 材木になっていない、生えている状態の樹木
10 ほどけない糸や感情の状態
11 年代などのはじまりのころ
14 不安やおそれを抱いてます
15 心の内を隠さず述べます
17 柔道をはじめたばかりの人が締めます
19 苦も無く空に浮かんでる
21 フカヒレがとれます
24 入り口の別名。転じて物事のはじまりのこと
27 周期的な海面の満ち引き
29 手がかり、ってこと
31 はじまりのほうに作る必要がある、土台となる部分
33 はじまり。↔終了
35 集団の先頭
37 出前や出張調理など、料理を飲食店以外に届けること
38 書いたり読んだりする

＊二重ワクに入った文字をA～Eの順に並べてできる言葉は何でしょう？

A	B	C	D	E

1	8		15	■	23	29	33	37
2		■	16 B	19	■	30		D
■	9	11	■	20	24	■	34	
3	■	12	17	■	25	31	■	
4			C					
	■	13		■	26		■	
5	10	■	18	21	■	32	35	■
6		14	■	22	27	■	36	38
7		E		■	28		A	

7 (^^)

作●小(飛蝗)杏樹

➡ ヨコのカギ

1　あぶら──　玉の──
2　うっとり
3　──切りげんまんで約束
4　徒歩数分で電車に乗れる
5　わざと乱暴にあつかって、壊れないかどうか試す
7　おしゃれのために穴を開ける人も
8　カフェ──　──アート
9　冷え込んだ朝に地面を持ち上げる
11　ほぼ水中に隠れている岩
12　週に１度アルコール断ち
13　音を拾って電気信号に変換
17　９時〜17時で休憩１時間、──は７時間です
20　内臓を守る24本
22　横に構えて吹く和楽器
24　良より上
27　この木の実をお粥やモチに入れることもあるムクロジ科の植物
28　顔の一部。うれしいとゆるんだり、おいしいものを食べると落ちたりする

⬇ タテのカギ

1　石対石・紙対紙など
4　地震で一歩遅れて大きな揺れを起こす
6　夏のレジャー解禁イベント
9　料理の事前準備
10　段取りミス
12　──母さん　──が座っている
14　防犯に役立つ──カメラ
15　豆乳からできるひらひら
16　スキージャンプ選手の空中での板のスタイル
18　悪天候で海が荒れる
19　目は前を向いているので見えない
21　洋風座布団
23　真夏の水不足が心配になる気候
25　水害時などに並べて簡易堤防を作る
26　顔の裏側
29　37℃台前半あたり（個人差あり）
30　ニコニコ(^^)

＊二重ワクに入った文字をA～Dの順に並べてできる言葉は何でしょう？

A
B
C
D

1		■	12	15	19	23		29
	■	9					■	
2	6	D		■	20	A	26	
■	7			16	■	24		■
3		■	13		21	■	27	
■	8	10	■	17		25		■
4		B	14	■	22	C		30
	■	11		18			■	
5						■	28	

8 三十一文字を詠む

作●熊金照代

ヨコのカギ

1 さげともいう落語の結末
2 トレンド　はやり
3 あれもこれも魅力的で１つに決められない状態
5 せいぜいこの程度と——をくくる
6 気軽に立ち寄れる赤提灯
7 各方面に気を回して抜かりなく準備すること
9 防水や防腐に利用する植物のタンニン
11 テーブルスピーチでは嫌われる
13 しーーーん
15 デリート
17 国会議員が選挙で国民に問う
19 ガンとも呼ぶカモの仲間
20 自分の思いや考えを外に向かって発信
21 ある業務や地域を、権限によって支配する
22 会社経営のためにお金を出す人
24 描くための道具の１つ
26 世の中——には——がいる
28 それとなく暗示
30 日本の国鳥

タテのカギ

1 礼儀正しい人にはくっきりと跡がついているかも
4 美声を音楽にのせる
8 計画が頓挫して
10 山岳の降雪が強い気流に乗って人里に飛来
12 仰向けから180度方向転換
14 紙やカンバスに描写
15 もめごとのあとに残る、わだかまった気分
16 病気の診断や治療をする
18 やるべき仕事
19 三十一文字を詠む
20 鳥のこども　幼鳥
21 家賃を払って住むハウス
22 最初の抱負。——貫徹
23 思いがけない絆。合縁——
25 実弾をこめない、音だけの銃
27 午前０時を過ぎても眠気０
29 舞台で役者が芝居する
31 素描　下絵
32 ひらがなやカタカナの元となったもの

＊二重ワクに入った文字をA～Eの順に並べてできる言葉は何でしょう？

1	8	■	15	18		23	27	■
2	[D]	12			■	24		31
3				■	21			[E]
■	9		■	19		■	28	
4	■	13	16	[C]		25	■	
5	10	■	17		■	26	29	■
6 [B]		14		■	22			32
7			■	20			[A]	
■	11					■	30	

A
B
C
D
E

9 裁判で言い渡す

作●もしや野中

ヨコのカギ

1 みそやパン種ができる現象
2 平安貴族の球技
3 刀の持つところ
4 小型の馬
5 競り合う刀の一部
6 その地域に詳しいとある
8 悪人を収容
11 恋して胸がどきどき
13 サファイアの色違い
15 メスを使って手術する
17 だれを選ぼう？
19 イスはイスでも転がすイス
20 正月に飲む
21 今では石垣だけのものも
22 ミイラ…じゃなかった魚だ
24 ヤングなエレファント…ではなく若い人
26 フランス語で「完全な」を意味する言葉が語源の料理
27 祭りで担ぐ
29 流れにさすもの
31 花粉がアレルギー要因に

タテのカギ

1 裁判で言い渡す
4 たたくとビスケットが増えるかも
7 筒状のパスタ
9 太鼓たたきに必要
10 とっても歌が好き（？）なスモールバード
12 羊からとれる
14 魚が食いつくと沈む
15 与党が政権を失った
16 薄命（？）なひと
18 川の中に学校がある？
20 ハイだったりモノだったり
21 高い店は入りづらい
22 最初っぽい植物
23 焼いて面倒を見る
25 敵陣で情報収集
27 普通の人の家
28 鶏が知らせる
30 三角・丸底がある実験器具
32 負け犬がアオーンと
33 裁判で行うと罪になる

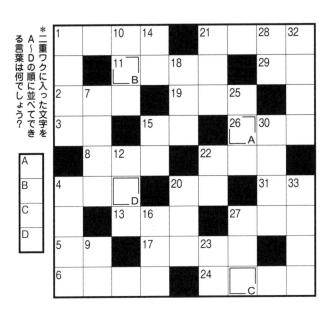

＊二重ワクに入った文字をA～Dの順に並べてできる言葉は何でしょう？

A	B	C	D

1		10	14	■	21		28	32
	■	11 B		18		■	29	
2	7		■	19		25	■	
3		■	15		■	26 A	30	
■	8	12		■	22			■
4		D	■	20		■	31	33
	■	13	16		■	27		
5	9	■	17		23		■	
6				■	24	C		

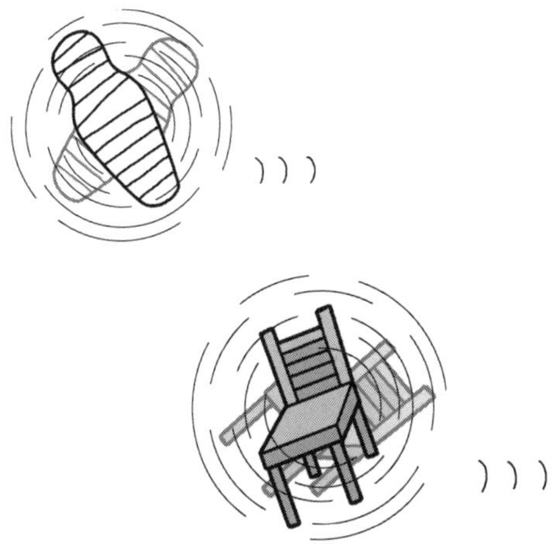

10 美容と健康

作●白川京一

ヨコのカギ

1 化粧水などでしっかりケアしたい、スキン
2 「だって、どうしても食べたかったんだもん…」
3 おめでたいことがあったときに、身内だけで幸せを分かち合う
4 美顔術やスキンケア、美容脱毛などの施術を行う
5 広いこの世界、世間
6 広いな大きいなと歌われる、太平洋や大西洋など
12 その人が主張する議論や説。――を展開させる
13 砂やほこりの飛散を防ぐ、――ネット
15 以前からの名誉に傷がつく
17 みそ汁に入れてもおいしい小さな貝
18 カーブを描いた黄色い果実
19 裸眼では平行法と交差法がある
21 個性的なものもたくさんある、ヘアスタイル
23 ダンベルトレーニングなどでしっかり鍛えて
25 ランウェイを歩く職業。歳を重ねても若々しい人もたくさんいる
27 仕事の無い、ひまな時間
30 命令とは少し違う

タテのカギ

1 ドラマに出演する職業。歳を重ねても若々しい人もたくさんいる
4 たんぱく質、ビタミン、ミネラルなど、バランス良く摂ろう
7 絵画などのタイトル
8 西洋将棋とも呼ばれる
9 木材加工用の道具
10 話の主となるテーマ。映画の――作
11 マジックと呼ばれることも
13 漫才で、これに対してツッコミを入れる
14 宝物の前に仕掛けられている(!?)トラップ
16 液体を濾(こ)すためのペーパー
18 キリギリスが弾いているイラストもよく見かける弦楽器
20 たんぱく質が多く含まれた、鮭やマグロ、サバなど
22 人が並ぶとできる
23 たんぱく質が多く含まれた卵の、イエローな部分
24 「すいめん」ともいう、池や湖などの表面

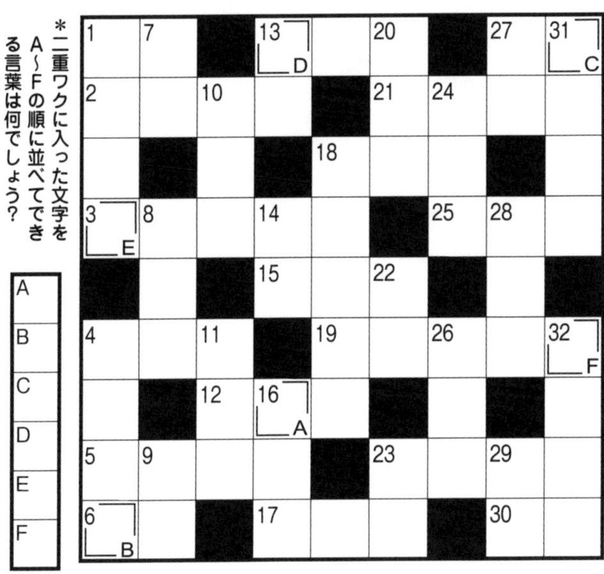

26　──の空似　赤の──
27　呼吸を重要視したインドの健康法
28　別れもあれば──もある
29　東とは正反対の方角
31　2022FIFAワールドカップの開催国
32　１日３度の人が多い、毎日のご飯

11 空を見上げる

作●いこいの森

ヨコのカギ

1 日没ごろ、空が茜色に染まる現象
2 南半球の空で、正午ごろに太陽が位置する方角
3 体操において、回転に加えるとより高得点
4 月や星が見える向きといえば
5 日が出ているのに雨降りのとき、嫁入りしている
6 夜空に浮かぶ太陽系最大の惑星
8 縄文杉とかユグドラシルとか
11 空が落ちるかもという不安からできた「杞憂」など
13 もとの作品に手を加えて
15 出るところと兼ねる場合も
17 全力を出し切れず――の残る試合だった
20 雲丹と書くこともある生物
21 栗やニンジンを甘く煮た西洋料理
22 雲がほとんどないいい天気
25 フレー！フレー！とする
27 焼き入れをして切れ味抜群
29 空を見上げる、の「を」
31 月や星が昇る所といえば
33 赤ちゃんの世話をする人

タテのカギ

1 空から降ってくる白い結晶
3 人工的に空に描かれる白い一筋
7 こっくりこっくりとする
9 うまくいったぞ、と入る
10 出汁を取る乾燥小魚。煮干しとも
12 シーツがびっしょりになるほど出ることも
14 捜査を行う警察官
16 コマの回転が遅いとブレる
18 気をつけと着席の間でする
19 願いが叶いやすい？　ロマンチックな天体ショー
22 タンスとか机とか
23 銀メダルをもらえます
24 リスナーに電波でお届け
26 暮れてから明けるまで。城を作ってしまった武将も
28 その件については――連絡します
30 11月23日～12月21日生まれの人の星座はこれ
32 鉢にいろいろな花を一緒に
34 夕方の空で真っ先にキラリ
35 月や星が見える時間帯といえば

＊二重ワクに入った文字をA～Dの順に並べてできる言葉は何でしょう？

1	7		14	■	22	26 (B)		34
2		■	15	19			■	
■	8	10			■	27	30	
3			■	20	23	■	31	
	■	11	16	(A)		28	■	
4 (C)	9	■	17		■	29	32	
5		12	■	21	24			■
	■	13	18			■	33	35
6				■	25			(D)

A	
B	
C	
D	

12 興奮してきた

作●松風

ヨコのカギ

1 山梨県あたりの古い呼び名
2 婚活アプリやネット対戦ゲームなどでおこなわれる
3 イノセントな状態
4 アルバムに貼っておく思い出
5 二言がない人
6 何かの大本、根っこ
7 ノンストップで畳み掛ける
9 君に——あれと願う
13 七夕物語のヒロイン
15 3月ごろに多い宴会
16 自分で使いやすく改造する
17 屋根をふくのに用いる植物
19 大きくて立派なのは御神体になっていたりする
21 真珠の生みの親
23 入居可能な部屋
26 8月31日はこれの日
28 個人で出すお金。——出版
30 酔ってぐだぐだと巻く
32 工作機械や建設機械などの操縦、を略して
33 感情に左右されない論理的な判断力。——的な人

タテのカギ

1 陶磁器を焼く施設
3 大舞台を前に興奮してきた
8 昨日のさらに昨日の夜
10 ふとんにかける
11 バッハは音楽の——
12 土俵に撒かれる
14 29日半の周期で形が変わる
15 あとで得を取るために先にしておく
16 アンダーコントロール
18 法華経信者の鳥
20 はらはらしているときに分泌される
22 ふわふわの甘い菓子
24 過失ではなくわざと
25 ——消しブラック
27 ——懲役
28 鬼が出るか——が出るか
29 作品づくりをていねいにしすぎてあまり世に出回らない作家の創作態度
31 浜辺でアサリなどを収穫
34 「隗(かい)より始めよ」の故事における隗は
35 GPS衛星は——情報サービスなどで活躍

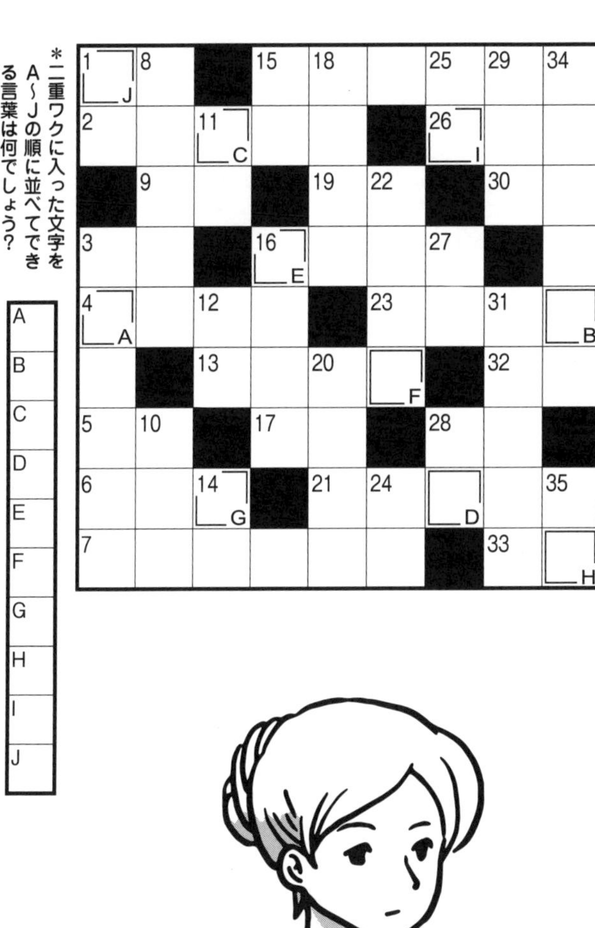

＊二重ワクに入った文字をA〜Jの順に並べてできる言葉は何でしょう？

13 人並み外れて多い

作●さくらぶ

ヨコのカギ

1 雨が少なく植物が育ちにくい状態
2 西洋の文物を日本流に学びとる
3 自動二輪車
4 ──畳　──綿　──頭
5 ずるをすること
6 病気のおばあちゃんと狼が出てくるおとぎ話
8 睡眠、食、性などが大きいと言われています
11 東京都や神奈川県があるだだっ広いところ
13 ゴールデンウィークのころにある二十四節気
15 柔道の技。脇から首筋に腕を回して動けなくする
17 今後関わりを持たないという約束の代償
20 憎さのあまりあてこすり
23 数が多い。漢字だと「五百」
25 ──シングルは直径12cmのCD
27 座る家具

タテのカギ

1 まだ世に出ていないエピソード
3 姉の息子
5 プラトン哲学で使われる概念。理想とか理念とか
7 飾り立てること。──ケーキ
9 マッチに使う可燃性物質
10 多い人は饒舌、少ない人は寡黙
12 ➡8が人並み外れて多い人
14 大阪府や京都府のある地域
15 ほとんどないこと
16 専売、他の流通経路がないこと。──に扱う
18 豚のこと。料理名で使う
19 状況を実地で見て調べる
21 先祖代々やってきた仕事
22 生態系を壊す特定──生物
24 ──をして大失敗
26 疲労やストレスが限界にきていることを示す、ある色を使った四字熟語
28 機械などの管理保守を意味する略語
29 丈が足りていない──づまりの着物
30 無人島に1本だけ生えているイメージ

＊二重ワクに入った文字をA～Eの順に並べてできる言葉は何でしょう？

A	B	C	D	E

1	7	9	■	15	19	22 B		28
2	D		12				■	
■		■		■	20		26	
3				16	■	23		■
4		■	13	E	21	■	27	29
■	8	10	■	17				
5			14	■		■		■
	■	11		18		24	C	30
6		A			■	25		

14 美しい伝統工芸

作●オグランド

ヨコのカギ

1 神奈川県の伝統工芸品。綺麗な模様とからくり仕掛けで有名
2 ──～現在～未来
3 ──冠者は狂言の登場人物
4 体温計を挟みがちな部位
5 トリビアよりは役に立つ
6 沖縄県の伝統工芸品。涼しげな色合いと丸みで、ぐい呑みやグラスなどが人気
8 快諾なアンサー
10 熱心に支持応援してくれる──なファン
12 雪　薬　ミルク
14 ギフトのラッピングや、女児の頭飾りに
16 硬い殻と長い尾剣が特徴の「生きた化石」。サソリやクモの仲間らしい
18 決まった価格がありません
20 応仁のとか承久のとか
21 大切にすべきチルドレン
25 囲炉裏のそば。──焼き
26 海岸線から遠く離れた場所
27 鉛筆の中心部に

タテのカギ

1 人形　ラーメン　どんたく
4 石川県の伝統工芸品。堅牢かつ優美な彩色で有名
7 褒められるべき潔い性格
9 一般的な日本地図では北が
10 大袈裟な表現
11 このカギとは90度違います
13 能狂言や相撲の基本の歩行
15 天使の翼が生える部位
17 77歳を祝います
19 のってこいで遊びます
22 ──ベル　──ボーイ
23 面白いから1枚あげよう
24 棒　パック　仕合
26 家屋を支えています。本柱とも
28 石川県の伝統工芸品。「五彩」の美しさが人気
29 昔の嫁入り道具の定番家具

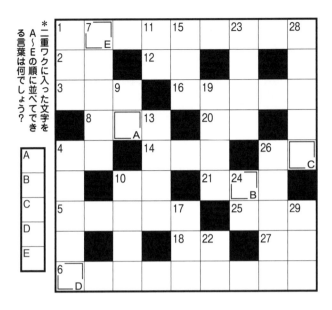

＊二重ワクに入った文字をA～Eの順に並べてできる言葉は何でしょう？

1	7 E		11	15		23		28
2		■	12		■		■	
3		9	■	16	19			
■	8	A	13	■	20		■	
4		■	14			■	26	C
	■	10		■	21	24 B		■
5				17	■	25		29
	■		■	18	22	■	27	
6 D								

A	
B	
C	
D	
E	

90度

15 なんと生意気な

作●福本詩乃

➡ ヨコのカギ

1 「画狂老人卍」なんて筆名も使っていた、江戸時代の浮世絵師
2 3拍子で踊りましょ
3 とても多い。あれ、なんか「多」っていう字がまさに
4 自分の持っている建物に人を住まわせ家賃をもらう
5 肌の触れ合う親密な交流
6 後ろ。車の後部座席は——シート
10 1枚目がAだったら心中で「絵札！　絵札こい！」と念じるトランプゲーム
12 親御さんのさらにお父さん
14 やんごとなき方の在位期間
16 気まま気まぐれ、やりたい放題、あとは野となれ山となれ、な性格です
18 水の沸点を100、氷点を0とする温度目盛り
20 アメリカ合衆国の通貨は
24 きれいなバラにあったり、心ない物言いにあったり
26 無料のことをただと言い、これは漢字で「只」と書き、それを分解した言葉
28 探偵事務所や弁護士事務所、ある日——人がやってきてドラマが始まる
30 朝の弱い人、ねぼけ——をこすりながら身支度
32 ——よきことは美しきかな
34 種子植物の中でも松や杉は——植物です

⬇ タテのカギ

1 日本人初のノーベル文学賞受賞者。代表作は『雪国』や『伊豆の踊り子』です
7 昔話で恩返しをする鳥
8 とらぬ——の皮算用、期待はずれに終わることもある
9 ——ハチ取らず、よくばると結局なにも得られない
11 ——倹約を旨とし、派手なことはせずつつましく生活
13 なんだかありきたりだな、——に欠けるね
15 ➡1の連作浮世絵でも有名な、日本の最高峰
17 この現象の原因については——あり、学界でも意見が割れている
19 なんと生意気な、身の——しらずなやつめ
21 クラブ活動の略です
22 お釈迦さまが説いた生・老・病・死
23 スープに浮かべたりサラダ

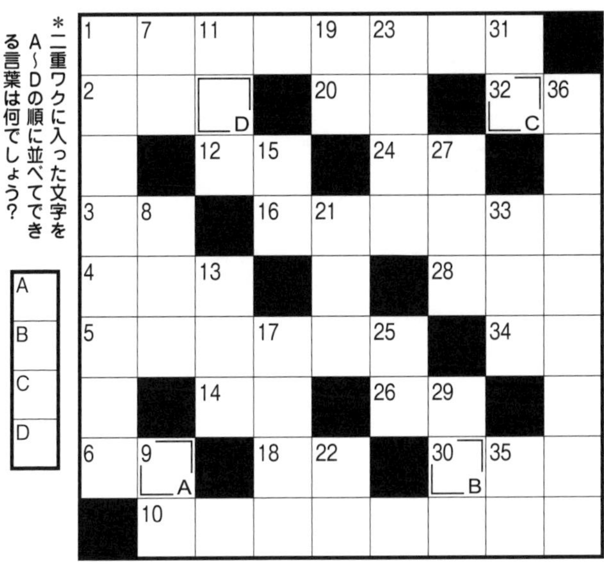
＊二重ワクに入った文字をA～Dの順に並べてできる言葉は何でしょう？
A
B
C
D

に混ぜたりする揚げたパン
25 アマチュアとは一線を画す
27 山頂から見下ろす町並み
29 神社で買えばきっと吉事が起こるであろー
31 NOの意思。断じて──！
33 軒先から垂れるトンガリ氷
35 アリは働き、キリギリスは歌ってばかりいたシーズン
36 ええっと今年の売上が○○円でしょ、それから経費が○○円でしょ、ってことは源泉徴収がこうなって所得税がああなって控除がこれで還付金がそれで…ひええ税理士さあーん助けてえー

16 動作のしょっぱな

作●ひらやまひらめ

ヨコのカギ

1 月がスタート
2 山がかぶる綿帽子の正体
3 ──の一歩　仕事──
4 那覇より東京が高く、東京より札幌が高い
6 メンズ──　ゴルフ──
7 引っ越し先の家
10 カッパやコウモリもこれの一種
13 中国古来の五行、木・火・土・金、あと1つは？
15 悪貨に良貨がされること
17 「きのえね」から始まる
19 頂上　てっぺん　最上位
21 新約聖書で「はじめにありき」とされるもの
23 立つ、鳴る、さえるに共通して使われる体の部分
24 「一年の計は元旦にあり」物事は──が肝心ですね
26 お客さんが多い時期に営業したり列車が出たり
27 世の中に広まること。風説の──
29 一連の動作のしょっぱな
31 愛玩用や観賞用として親しまれる小さなニワトリ
33 アーム──　デッキ──
36 ふざけた言葉。──をとばす
38 行為の主体、エゴ。──に目覚める

 タテのカギ

1 行列や主要人物を先導する
5 「かぶらや」を由来とする物事のはじめを指す言葉。これをもって──とする
8 思ったことをやり抜く心。プロの──、──を通す
9 電車やエレベーターが動き出す前に閉まるもの
11 たけなわになるものの代表格
12 つがいの一方
14 舞台や新時代が始まります
16 悩んだときに頼るのは──袋、はずせなくて悩むのは──の輪
18 解決への出発点
20 ──の間を背にした上座の席
22 ──をつかむ＝何もつかんでいない
25 2がダブルなら、3は？
28 刑事の俗な呼び方
30 ──乗り　──鶏　──星
32 コップやメガネや帽子にある
34 軽くて薄い織物。──をか

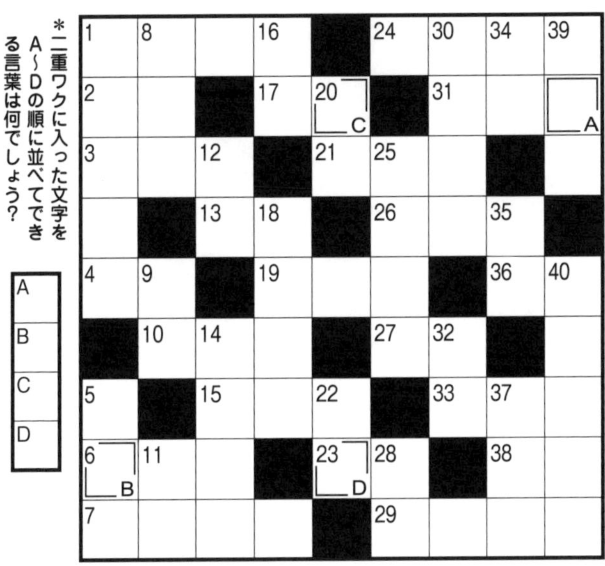
＊二重ワクに入った文字をA～Dの順に並べてできる言葉は何でしょう？
A
B
C
D

けたような光景

35　──盤　──曲　──の口

37　他人の利益や欲望の犠牲になる

39　被害が出る前にあらかじめ手を打つ

40　動作や事業のしはじめ

17 映画で有名

作●しきみのる

ヨコのカギ

1 英語でfreezer。だいたい-18℃前後で温度管理
2 旧国名。今の千葉県南部か徳島県
3 映画で有名なアメリカの街
4 経済的にたすけること。相互——
5 福島県最大の湖。日本では４番目に広い
6 助けがないこと。孤立——
8 旧国名。今の石川県北部
11 モチをつくときに使う道具
12 デパートやスーパーにはたくさんある
14 アッシリアやバビロニアが栄えた地域
18 ——オイル　——キャンドル　——テラピー
19 男性アイドルのコンサートで後ろにクルリ
20 レッドドラゴンフライ
22 今のは言葉の——だ、誤解しないでね
24 恐怖や不安と一緒に感じる
25 保温容器のこと。炊飯——
26 ○青森　○横浜　○高岡　○大阪　○下関　○八代
29 見返りを求めずにお金をあげること

タテのカギ

1 ほぼ生な焼き加減
3 サッカーやラグビーで前半と後半の間のこと
7 ラーメンにのっていることもある黒い海産物
9 移植するため、種から少しだけ育てた植物
10 荒川や多摩川が流れ込む
13 ３段階設定の３番目
15 よくあること。世の——だ
16 預けても借りても付く
17 指示代名詞は「——言葉」と呼ばれることも
19 卵と牛乳と砂糖を温め、ゼラチンで冷やし固めたデザート
21 ４人＋馬４頭を１チームとして、ボールを打ち合う
22 プレッシャーのこと。——をかける
23 現代人にとっての万葉集や百人一首
24 音符をこれにたとえたり
27 グルメな人が追い求める
28 勤め先が札幌から沖縄に
30 気流の壁で部屋を区切る
31 パパとママ

＊二重ワクに入った文字をA～Gの順に並べてできる言葉は何でしょう？

1	7		13	17	■	24	27	30
2		■	14	A	21			
■	8	10 C	■	18			■	
3			15		■	25		F
	■	11		■	22		■	
4			■	19		D	28	
	■	12	16 E		■	26		■
5	9				23	■	29	31 B
6 G			■	20				

A
B
C
D
E
F
G

18 安息を祈る

作●須宮陽一

ヨコのカギ

1 姿をくらますこと
2 ──結びは「キング・オブ・ノット」とも呼ばれる
3 休養・娯楽のこと。遠足の移動中にバス──を楽しむ
4 「雲」を英語で
5 井戸の入口にある「井」
6 ↔息子
8 大事なものをしまっておく
10 ちりめんじゃこもアンチョビもこの魚の加工品
12 雲のような毛が特徴の動物
14 讃岐や稲庭が有名な麺類
16 よく似ていること。──値
17 おもに航空・航海でつかう距離の単位
18 漢字では「八重葎」。空き家などに生い茂る雑草
19 はしごを掴んで渡る遊具
20 発表会で、わが子の──が近づくと緊張でドキドキ
21 ニワトリのひな
22 夏祭りなどに着ていく和服
24 魚の表面を覆う硬いもの
26 害虫を近寄らせない──剤

タテのカギ

1 雨がやみ、──から光が差してきた
3 安息を祈る鎮魂歌
7 遠方がかすんで見える現象
8 海にいそうな名前のキノコ
9 ↔内因
11 歌が上手な女性
13 「若者」の古風な言い方
15 地理や──、公民を社会科で勉強する
17 金属を打って物を作る職人
19 行動したかしていないかは──の差がある
21 条約に同意すること
23 レントゲンを撮る前に飲む白いもの
25 お茶の渋み成分
27 丸太を使った──ハウス
28 天皇の母で先代のお妃さま
29 小さなやしろ

＊二重ワクに入った文字をA～Fの順に並べてできる言葉は何でしょう？

1	7	9		15	■	21 A		28
2 F			■	16			■	
	■	10	13		■	22	25	
■	8		B	■	19			
3		■	14			■	26 D	
4		11 C		■	20	23		■
5			■	17			■	29
	■	12			■	24	27	
6			■	18			E	

A
B
C
D
E
F

19 食べるか残すか

作●Bon.

ヨコのカギ

1　アブラナ科アブラナ属の野菜。外観は塊状
2　スリー――はフルカウント、――バイフォーは建築工法
3　トルコの南に位置する国。首都はダマスカス
5　筋子を一粒ずつに崩した
6　このシャワーは風呂場ではなく結婚式場で
7　五感の一つにおいて重要な器官
9　かつては幹線で活躍、今は観光列車として生き残る
12　化粧の下地に使う
13　フランス語でお菓子のこと。――ショコラ
15　鰻重のランクを提示するために用いられる植物
17　ジャムのラインナップでよく見掛ける果物
19　首都圏をはじめとした、栄えている市街部
20　これは素晴らしい！　恐れ入った！
21　大豆のこと。――ソースは醤油
22　それとこれとは話が――だ
24　植物のヤシを意味する。特にアブラヤシからは――油がとれる
25　おやつやおつまみとして食べられる種子類。ジャイアントコーンは穀類だけど一緒に売られてることが多い
26　それとこれとはよく似てる
27　オスには立派な角がある
29　貢献したり影響したり

タテのカギ

1　被災地などへ送る救援――は現地が本当に必要としているものを選ぼう
4　２人が並んで身長の高さを競う
8　カレーにこの葉っぱを入れて煮込むことがあるが、これが入ったまま出されると、食べるものか残すものか迷ってしまう
10　「とりどり」という語はこれと組み合わせて使われることが多い
11　棒状の野菜。ベーコンを巻いて焼きたい
14　正月遊びの１つであり、工作機械などの機構の１つでもある。共通するのは回転動作
16　鉛筆の硬度を示す文字の１つ

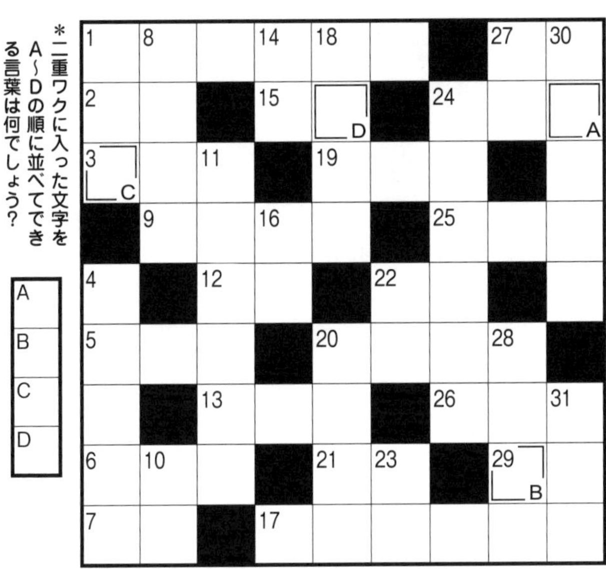
＊二重ワクに入った文字をA～Dの順に並べてできる言葉は何でしょう？
A
B
C
D

18　液体の容量を示すために多用される体積の単位

20　PCの画面で「ここに文字が入力されます」「ここでマウスをクリックします」という目印

22　これが立つ人は話上手

23　靴の横幅、NHK教育、東などを示す文字

24　酢豚に入れる、入れないで議論になる果物

27　ハ長調における「ド」

28　食べ物に関する単語ではなく、切断に使う工具

30　名優が久々に銀幕に登場する、スポーツ選手が大怪我から再起を果たす

31　アゴを英語で。人名のような響き

20 日本を代表する花

作●真良碁

➔ ヨコのカギ

1 バラ科の果樹で、青森県の花。『――の唄』は、1945年発表の大ヒット曲
2 その地域で産出するもの。「みやげ」と読まないで
3 開――　幸――　恋愛――
5 広告や宣伝のために配布します
6 バラ科の果樹。鳥取県の花は、この木の1品種です
7 ボタン科の多年草。花は美人の立ち姿のたとえに用いられます
9 キク科の栽培種で、花言葉は「悲しみ」「変わらぬ愛」。あいみょんの歌では、麦わら帽子の君が似ているそうです
12 バラ科の低木で北海道の花。『知床旅情』にも登場します
14 日本を代表する花の1つ。パスポートや50円硬貨の模様に使われています
16 初冬に花をつけるツバキ科の広葉樹。童謡『たきび』にも登場します
17 秋に真っ赤な花を咲かせます。別名「曼殊沙華」
20 「鬼」「鉄砲」などがある花。美人の歩く姿のたとえに用いられます
21 書物を終わりまで読み通すこと
22 日本を代表する花の1つ。100円硬貨の模様に使われています
23 韓国の漬物
25 鹿やサイや鬼にあります
27 土を盛り上げたところ。お墓だったりします

↓ タテのカギ

1 日本原産の多年草で、長野県と熊本県の花。漢字で書くと「竜胆」
4 夏に白い花を咲かせる常緑樹。『――の花』は渡哲也のヒット曲です
8 秋の味覚といえばこの魚。落語では、目黒の名産!?
10 厚手で密な毛織物。ビリヤード台にも張られます
11 栗――　たけのこ――　炊き込み――
13 最高位は横綱です
15 温泉――　アット――　トレード――
16 刀や槍などの刃の部分を収めるもの
17 太陽の光を好む花が咲くと

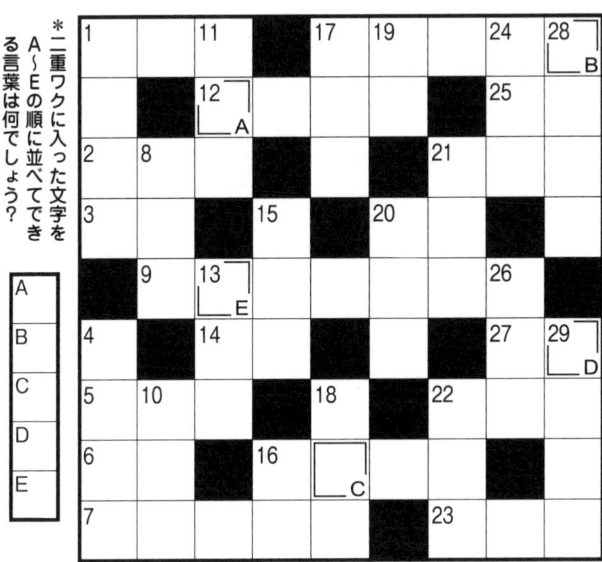
＊二重ワクに入った文字をA～Eの順に並べてできる言葉は何でしょう？
A
B
C
D
E

ころ。「ひゅうが」と読まないで

18　四方を司る「四神」とは、白虎・青龍・玄武とこれ

19　都市――　プロパン――　温室効果――

20　ＥＵの通貨

21　回転させて穴をあける工具

22　ツバキ科の常緑樹。神事に用いられます

24　――アップ　――ネット　――ナンバー

26　船を造ったり修理したりするところ

28　千葉県の花。唱歌『朧月夜』にも登場します

29　漢字で書くと「枳殻」。童謡『――の花』は北原白秋作詞・山田耕筰作曲

21 高くなりませんか

作●小見枝まや

➡ ヨコのカギ

1 角が立派でカッコイイ
2 カニのおなかの三角
3 ➡1が木のココにいた
4 ➡1の雌雄の——は簡単
5 選手がつける番号の布
6 きっとバラ色のはず
8 生き物がたくさんいます
11 前脚がこの形の虫もいます
12 アドルフ・ヒトラーなど
14 タコがピューと吐く
17 絶滅危惧種を守るために
18 一段落すること
19 甘くてトロトロ
20 大きな種類をマンタと呼ぶ
21 リーンリーンと鳴く
22 家族と話すときはこうだけど他人との電話だと高くなりませんか
23 南のこと
26 山を歩くと血を吸われる

⬇ タテのカギ

1 血圧計の腕に巻く部分
3 名前どおりの鳴き声の虫
7 角度を測る道具
9 ふてぶてしい——がまえ
10 環七通りは——318号
11 壁の——を見て時間を確認
13 暖かい布団の昔の言い方
15 虫をむしと読む
16 絶滅危惧種は無許可で捕獲すると——に問われます
17 他人の仕事の手助けをする
19 ⬇25にブンブンたかる虫
20 利己主義者のこと
22 新築工事前の儀式
24 ポタポタ音がする
25 片づけないと虫がわくよ
26 そうめんじゃないよ
27 洋服のサイズ表記のひとつ
28 アブラムシが蜜を出す部位

1	7	10	13		■	22	25	27
2				■	19			
■	8			16 C			■	
3		■	14		■	23		
	■	11		■	20		■	
4			■	17 A		■	26	E
	■	12	15			24		■
5	9			■	21 D			28
6		B	■	18				

＊二重ワクに入った文字をA～Eの順に並べてできる言葉は何でしょう？

A	
B	
C	
D	
E	

22 お散歩しましょ

作●湾狼子

➡ヨコのカギ

1 散歩に適した道。川沿いや公園にあることが多いです
2 細かな水滴で視界が悪い天候。散歩には不向きですね
3 樹や⬇30を眺めながら散歩できる楽しい道です
4 道と家屋の間にある細い溝
5 遊ぶこと。散歩もこれです
6 さまよい歩くこと。散歩よりも期間が長いです
8 橋や電線を地面から離れたところに渡しています
11 足で動かす乗り物。これを使うと散歩とは言えません
13 陸地と島をつなぐ砂州。島まで歩いて渡れることも
15 散歩中は面白そうなものや場所が多くてやりがちです
17 10本の足で歩かず泳ぎます
19 幅の狭い海峡
21 動物たちが歩いてできます
23 多くの定理を作った数学者
24 病気を大本から治します
25 「自動」の反対語は
27 天気の悪い日に散歩をするなら持って行きたい
29 「とう」もおいしい野菜
31 散歩のあいだは家のここにはいません

⬇タテのカギ

1 冬に降るもの。積もっていると散歩がしにくいです
3 散歩中に車にひかれないよう守ってくれます
7 お金と品物を交換します
9 悪いことは起きていません
10 もうけがでました
12 少数派の国会議員たち
14 昔は半ドンでした
16 10代の若い人たち
18 スイカやカボチャもこれ
19 戦いによって得たもの
20 「なんでやねん！」と言われる方
22 試験の最後にこれがないか確認します
24 かつやフライがまといます
25 立つことと座ること。「振舞」を付けると四字熟語に
26 日が沈んで真っ暗。散歩にはあまり向きません
28 散歩は格式ばらないこういう服装が向いています
30 お家やお店が作り出す景色
32 歩くことを英語で。散歩よりも健康志向なイメージ
33 歩くことの古風な言い方。散歩と違って目的地がある印象を受けます

＊二重ワクに入った文字をA～Fの順に並べてできる言葉は何でしょう？

A
B
C
D
E
F

1	7 D		14	18	■	25		32
2		■	15		22		■	
■	8	10		■	23	B	28	
3 A			■	19		■	29	
	■	11	16	F		26	■	
4	9	■	17		■	27	30	
5		12		■	24 C			■
	■	13		20		■	31	33 E
6			■	21				

23 どちらもどちらも

作●おく山みつゆき

➡ ヨコのカギ

1 ラップとモヒート…どちらも――で味わいが出ます。…って感じで以下すべてのカギが謎かけ形式ですが、入る言葉はすべて名詞です

2 カップル写真とテキーラ２杯…どちらも――です

3 ――と電話…どちらも糸がついたり、切ったりします

4 ――と作家…どちらも「かくしごと」です

5 法令遵守と授業開始時…どちらも――に従います

6 融資の相談と大雨…どちらも――ないと困るんです

7 広告とゴルフのスイング…どちらも――が大切です

10 「働きながら通学する鬼」と「ミートから腐臭」…どちらも「おに――」

12 教室の移動と長生き…どちらも――は避けて通れない

15 「柱の傷で計測」と「石橋を叩いて渡る」…どちらも――ですね

16 ――とアジテーター…どちらも相手をせんどうします

17 「例えるのが困難」と「やねより☀こいのぼり　☀まごいはおとうさん」…どちらも「――がたいよう！」

19 特売セールと漫画の驚き方…どちらも――が出ます

22 「――の改善」と「歯医者のペンライト」…どちらも、こうないを明るくします

23 ボール紛失と英語…どちらも――がないんです

25 金貸しと「家族のためなら」…どちらも「――ちゃう！」

27 ――と「雨だから殴り合い」…どちらも「かいせいで、ぶつの一終わり！」

28 ――と植物の茎…どちらもはなのしたにあります

⬇ タテのカギ

1 「コップがない飲み会」とトランペット楽団…どちらも――でやります

5 「スマホ紛失」と「チャンスタイム終了」…どちらも――を失った

8 ガス欠とショッカー…どちらも「――」

9 「指が勝手に動く心霊現象」と「料理人チームがバラバラ」…どちらも――です

11 「藁の敷き物に昆虫２匹」と「ないわけではない」…

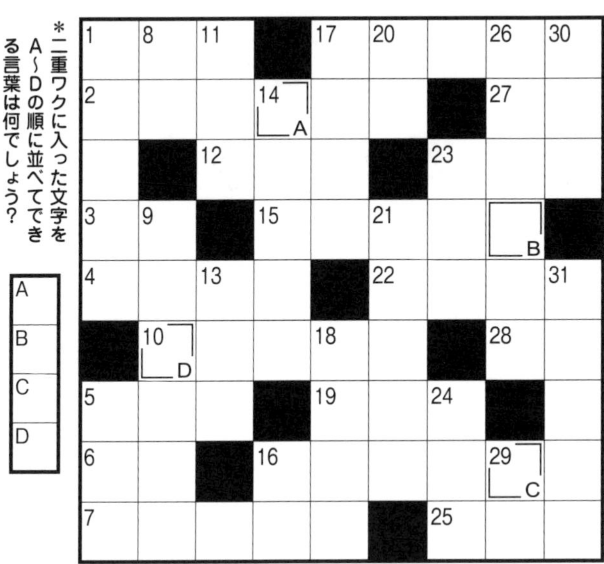
＊二重ワクに入った文字をA～Dの順に並べてできる言葉は何でしょう？
A
B
C
D

どちらも「――ありか」

13　年長さんと「しうがく」…どちらも――になれば通学

14　ハンバーグと人工飼育…どちらも――でしょう

16　豚しゃぶと水戸黄門…どちらも――を取り除きます

17　完璧とマネキン…どちらも――が見当たりません

18　「膠灰（こうかい）の塊で殴られた奴」と「非難されたくない奴」…どちらも「――いてー！」

20　怪しい勧誘と操り人形…どちらも――が丸見えです

21　「床の間に素敵な段差が」と「あっ言葉を間違えた」…どちらも「いい――」

23　懐メロ愛好家と「郵便配達人に職務質問」…どちらも、かよう――を聞く

24　――と「大切な人と繋ぐ手」…どちらも、はなさないで想いを伝えましょう

26　「月に降りた飛行士」とボンボン…どちらも――です

29　「原始人の狩り」と「どうなってもいいや」…どちらも投げ――です

30　「国家転覆の企み」と「限界のマラソンランナー」…どちらも、きけん――です

31　内ポケットと「住宅デザインをするゼンマイやウラジロ」…どちらも「――だ」

24 ヒーローっぽくなれる

作●ねこあい護家

ヨコのカギ

1 ふんわりとした感じのフランスのスイーツ
2 カリッとした日本のお菓子
3 ギリシャ文字のΘ、θ。もしくはラピュタのヒロイン
4 地下1階以下を1字で
5 操舵手がすること。比喩的に使うことが多い言葉
6 俳句よりは長いけど
7 気前の良いメタボ
9 ファンタジーによく出てくる耳のとがった種族
10 海外旅行にはこの状態が良いと言われる
14 牛や豚の肩～背あたりの肉
15 五節句の中で唯一の祝日
16 オスプレイはミサゴで、ハリアーはこの猛禽類
18 藍より青くなって師匠を超えた弟子の誉れ
20 スマホでいうタップにあたるPCの操作
21 ハンターが狙う
23 罫線がないのは自由帳？
25 あの道この道どの道もみんな通じているらしい
26 漫才より演劇的？
28 讃岐、阿波、伊予と同じ島

タテのカギ

1 ショボい偽札にはない
4 昔の記憶はこうしがち
6 そう簡単にはくたばらない
8 野球選手が宣言してどっかに行っちゃったりする
11 買う必要のないものはこれですましてもいい
12 これのお店の看板には豚のコックさんの絵が…
13 ワニが身近にいたりするアメリカ南東部の州
15 香川、徳島、愛媛と同じ島
17 あたま　こうべ　おつむ
19 前途　将来
22 昔はよく見られた天秤棒を担いだりしていた商売人
24 カサブランカはこの国
27 完全試合が国宝なみにレアだとしたら、重要文化財にあたるのはこれかな
29 チンパンジーによく似ている霊長類
30 生えすぎて邪魔なのは山羊さんに食べてもらおう
31 これをなびかせればヒーローっぽくなれる

＊二重ワクに入った文字をA～Dの順に並べてできる言葉は何でしょう？

A
B
C
D

1	8	11	■	15		22	27	29
2					■	23		
3			■	16	19	B		■
■	9 C		13	■	20			30
4		■	14			■	28	
5		12		■	21	24	A	■
■	10	D		17	■	25		31
6			■	18				
7					■	26		

25 あちこち出てます

作●あるかり工場長

➡ヨコのカギ

1 北海道の北東から出る半島
2 蒸発とか沸騰とか
3 京都府の北部から出る半島
4 秋田県の西側から出る半島
5 ──芸　──騒動
6 浴槽にこびりつく汚れ
8 ⬇12のこと
10 北海道の西部から出る半島
13 バスケ選手ゴール下の攻防
15 三重県の東側から出る半島
17 静岡県の東部から出る半島
20 愛知県の南西部にある半島
22 石川県の北東から出る半島
23 フランスの南西にある半島
25 神奈川の南東から出る半島
27 千葉県のほとんど的な半島
29 ミミやヘソにつける
31 鳴らすと単音が出る
34 未満より含む範囲が広い
35 天──　牛──　カツ──

⬇タテのカギ

1 青森県の東部から出る半島
4 鹿児島県東部から出る半島
7 桜島が繋がってない方だね…え、そっちじゃないの？
9 約365日周期で増えていく
11 単語をどの程度知ってるか
12 ➡8のこと
14 後々役立つとまく養分
16 和歌山のほとんど的な半島ってこれ奈良とか三重とかも含むのかねどうなのかね北国育ちにはわからんね
18 と、──正直に書きました
19 秋田の美人か新幹線
21 知識や判断を司る
23 蒲鉾　日本料理人　舞台
24 王が治める人なら逆は
26 目的地から引き返す昆虫
28 出るものが出ない
30 12星座で唯一の完全水生
32 剣道の防具の１つ
33 どこかしらが陸に繋がってたら半島と呼べるんだけどどこにも繋がってなければ
36 北アメリカ大陸の北西部にある半島…と思いきやそこからさらに南西へ出る半島
37 黄海に出る中国東部の半島

＊二重ワクに入った文字をA～Eの順に並べてできる言葉は何でしょう？

1		9	14	■	23	28		36
	■	10	B	19			■	
2	7	■	15		■	29	33	
3		11	■	20	24	■	34	
■	8		16	■	25	30		■
4 C		■	17	21	■	31	E	37
5		12	■	22	26 D	■	35	
	■	13 A	18			32	■	
6				■	27			

A	
B	
C	
D	
E	

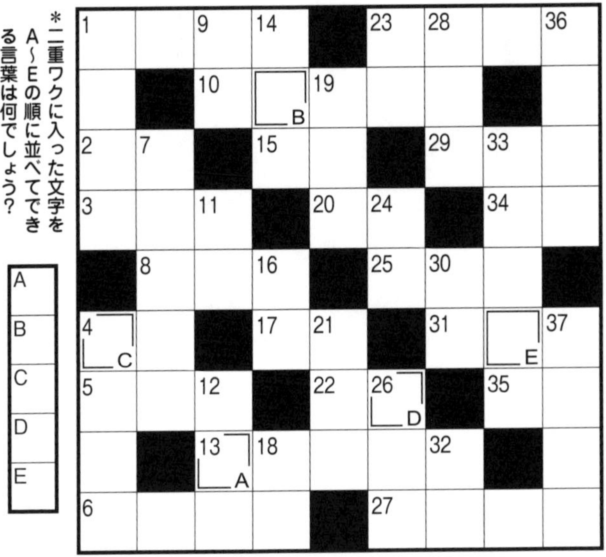

26 ビブラート多用

作●閑無月

➡ ヨコのカギ

1　Ｆから始まるしＦ音も出せる木管楽器。バスーンとも
2　クラシック、フォーク、エレキなどがある撥弦楽器
3　大統領、会長、大臣などのNo.２の座に冠す
4　ＤＮＡ　メンデルの法則
5　「ごめんください」など特定の場面で使う決まり文句
6　映画『第３の男』のテーマ音楽に使われた撥弦楽器
8　既製服　古着　干し柿
10　くだもの。──酒
12　ビブラート多用擦弦楽器
14　曲の聴かせどころ
17　ピアノに似た鍵盤楽器。ハープシコードとも
19　卵に目を入れて
21　トレモロ奏法を多用する撥弦楽器
23　──もえくぼ
25　漢字にある偏、旁、冠など
26　卵に目を入れて
27　金剛──像
29　特定の場所に人々が寄り来る。例：パズル好きの──
31　謡曲は──回しで聴かせる

⬇ タテのカギ

1　清朝のラストエンペラー
3　外野に捕球されアウト
5　有用性。付加──、──観
7　音の出だし、鳴る瞬間
9　食卓に供すしゃれた酒ビン
11　ネットを揺らす、テープを切る
12　カントリー音楽でよく使われる撥弦楽器
13　わけありな──顔
15　ある領域のことに詳しい。食──、事情──
16　柄　勘　言葉　未開の
18　ビブラート多用擦弦楽器
20　油　白　黒　金　エ　豆腐
22　➡２　バッグ　ポケット
24　大勢が輪になって回り踊る
26　パンと打つ、シャンと振る、すり合わせるなどの奏法がある楽器
28　％で表す。気温ほど予報されないイメージですね
30　まぶたの素早い開閉
31　秋から春の日本にいるハクチョウ、ツル、カモなど
32　内野に処理されアウト
33　イロガミということも
34　漢詩やラップで踏むもの

＊二重ワクに入った文字をA～Dの順に並べてできる言葉は何でしょう？

A	B	C	D

1	7	11		16	■	26	30	32
2		B	■	17	22			D
■	8		13	■	23			■
3		■	14	18 A	■	27		33
	■	12			24		■	
4	9		■	19		■	31	
■	10		15	■	25	28		■
5				20	■	29		34
6			■	21		C		

27 ポテンシャル大

作●茶の湯

➡ ヨコのカギ

1 ――体制は３人の共同リーダーで組織を運営
2 猿蟹合戦では蟹側に荷担
3 御キッチン
4 肋骨
5 ベーゼンドルファー社製には97鍵のも
6 外に流れ出てよだれとなる
7 歩行者や自転車優先に道路を整備した区域。電線を地中化していることも
11 災害現場で大活躍
12 非武装中立を国是とする
14 →11は――弾の処理も業務
15 熱気と臨場感がたまらない
16 ――は人のためならず
19 おりあげた布
20 青木昆陽が栽培を広めた
24 壁にも人間関係にも入る
26 いとわず働けば、後日ねぎらわれる
28 おしまいに引く
30 鮎の塩焼きには――酢

⬇ タテのカギ

1 長野と札幌で開催した
8 ロサンゼルスの略称
9 おいちょ――
10 肋骨
11 まごころ
12 とおの前の９番目
13 天気の良い日はここでコーヒー
16 10億分の１
17 酸素を取り込む
18 上司と部下の間の課長補佐
19 酢豆腐を食う半可通
21 扇子は振らず首を振る
22 陽に対する概念
23 生でも干しても膾(なます)でも
25 チェスでは後手番
27 ストライプやボーダー
29 メールより改まった感じ
31 日本は洋上にポテンシャル大と言われる

＊二重ワクに入った文字をA～Eの順に並べてできる言葉は何でしょう？

1	8		13	■	19		25	31 A
2	E	■	14	17		■	26	
	■	11				22	■	
3	9			■	20		27	
4		■	15	18		■	28	
	■	12				23	■	
5	10 B		■		■	24	29 D	
6		■	16		21	■	30	
7				C				

A	
B	
C	
D	
E	

28 魔法少女が空を飛ぶ

作●はいカード優さん

➡ ヨコのカギ

1 はじめまして。――します！ 私の名前はクロー＝スワド。実は魔法少女なの
2 「あなた、もっと！ …というダジャレどうかしら？」「――センスが足りないね」
3 「"友"の反対」といっても、敵やライバルではなく
4 ――テール ――ボーカル
5 魔法少女、というか魔女が武器として使いそうな農具
6 いつ――するかって？ 何言ってるの。まだ現役よ！
8 トランプ同様、魔女が占いで使うアイテム。どんな札があるかな？
12 中世、魔術を恐れた人々が行った司法権の濫用？
14 髪留めアクセサリーの1つ。「毛」を英語にしてヘア…と言うことが多い
15 「丸つぶれ」という言葉がよく使われがち。世間体やプライドと解釈されたりも
18 勝負を決着させる技。相撲であれば裾払い、特撮番組であればライダーキック!! など（手でなく足だけど）
20 手はビート板を持つだけで、下半身をバシャバシャ
22 魔法少女が空を飛ぶときに使う印象もある掃除道具
25 右―― 左―― がっぷり―― このヒント幾つ目？
26 キミとヒツジを合体させるわよ！ 何と読むかしら？

⬇ タテのカギ

1 魔法少女が唱えます
4 魔法少女の意のままにコキ使われる魔物やしもべなど。もしバラバラにされたら…「ま、いっか」（？）
7 正装の魔法少女はマントやこれを着用してる印象
8 ⬇4達も手出し無用！ これは1対1の対決よ！
9 冬場の気象現象。西洋には「ジャックフロスト」というこれの妖精もいるとか
10 プリンスもマスクも夕張も仲間のフルーツね
11 球体。占いの際に水晶製のこれを覗いたりする
13 東の空から光が差し、暗闇が消えていく
15 魔法使いを意味する英語。あら、大正の一つ前の元号も同じ読みなのね
16 カーレースで給油やメンテ

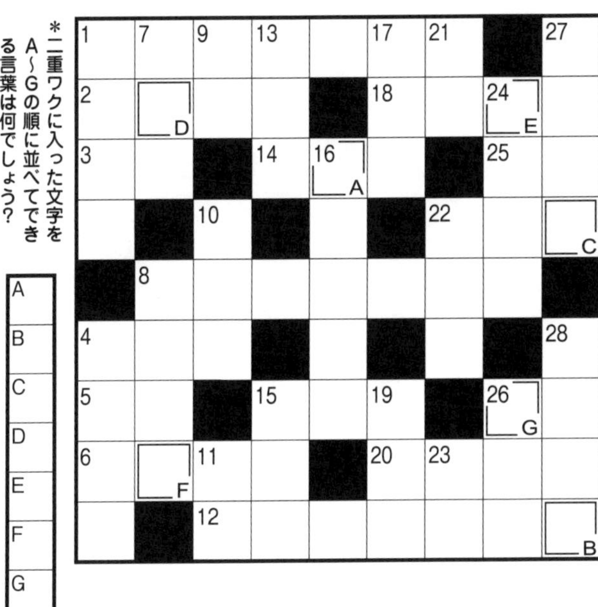

*二重ワクに入った文字をA～Gの順に並べてできる言葉は何でしょう?
A
B
C
D
E
F
G

のため本コースから外れ…

17 スマホゲームの場合、これが魔力の源のこともある？

19 魔法少女の中には、背中にこれを生やして空を飛べる娘もいる

21 「――を生きる」「なるほどリビングのことね」…合ってるような、何かを勘違いしているような

22 家。――タウン、マイ――

23 ファッション用品。ループ――、アスコット――など

24 陣取りゲームで奪い合う

26 トロピカルフルーツの一種。ジュースも美味しいわね

27 魔法少女が手に持っている印象がある素ッ敵な棒

28 ⇩27を振り⇩1を唱えたり、コンパクトを覗いたりして別の存在に姿を変えること。――アイテムや――ポーズは魔法少女アニメの定番ね

29 荒れ地の魔所

作●静山怒

ヨコのカギ

1　使う前からヒビが入ってる
2　空巣に必須な犯行現場状況
3　宮内庁式部職楽部奏楽職員
4　踏――　――札　――餅
5　数頭で大漁の復活水産業
6　旅程にない気紛れ時間ロス
9　深情けが更に男を苦しめる？
10　車椅子はスロープで解消
12　江戸の通り魔的刃傷沙汰
14　釣りなくも目が行く返却口
15　「間違えた…」の法律用語
18　手のひらを屏風に口を寄せ
19　信じてゴックンの不用心さ
20　冗句と当て字する英単語
23　提灯にもなる毒魚の王様
25　子を見る目の曇る身贔屓
26　伝道は１本杖のレルヒ少佐
28　峠の前後の傾斜道
29　ネーデルラントの略号

タテのカギ

1　ジタバタというオノマトペ
5　沁みる　応える　惜しまぬ
7　枝から枝へ縞の尻尾に頬袋
8　欠員で次点候補に桜咲き
10　旨味成分抽出液
11　バレーの準備不足狙い攻撃
13　青龍　白虎　朱雀　玄武
15　対岸だったらどこ吹く風
16　東奔西走で時計を正す理由
17　縦横無尽な兵がペアで拿捕
20　風に使われる助数詞？
21　避けた方が良い閉・集・接
22　神主が御唱え奉りまする～
24　お耳汚しお目汚しの宴会芸
26　灰よりマシなウェルダン
27　ここだけ使うは眉唾な話術
29　球の埋もれる荒れ地の魔所
30　瞳（外国人は青その他？）
31　石でなくロボット掃除機を投げればあとのブラシ掛けは不要になるのではないか…？

＊二重ワクに入った文字をA～Eの順に並べてできる言葉は何でしょう？

1	7		13	■	20	24		30
2		■	14	17	E		■	
	■	10			■	25	27	
3	8		■	18	21			■
4		■	15 C			■	28 D	31
■	9	11			■	26		
5			■	19	22		■	
	■	12 B	16			■	29 A	
6				■	23			

A
B
C
D
E

30 実存を悟る
作●遠藤郁夫

➡ヨコのカギ

1 きつい冷やかし。ウイットがないと揉めるかも
2 ムルソー青年の殺人で、カミュが描く不条理世界
3 きのこ・かび・酵母も該当
4 プッチーニ作曲、1904年にミラノのスカラ座で初演。米国海軍士官が、貞節な長崎の芸者を裏切る話
5 越前に永平寺を開いた、日本曹洞宗の開祖
6 算数で割り切れない残り
7 敵艦隊の絶滅を期し、いざレッツゴー
9 戦士の手柄。──詩で有名な作品は『ロランの歌』
13 蒸発に要するエネルギー
15 ビールの素直な漢字表現
16 お相手さんが費用負担
18 男性は燕尾服、女性はイブニングドレスが正統です
20 夏の季語、ヤマモモの漢名
21 組織内の分派。──主義はなわばり根性ともいう
23 生まれたての赤ちゃん魚
25 ロカンタンが実存を悟る、サルトルの代表作
28 『高砂』『嵐山』で、ツレが使う老女の能面

⬇タテのカギ

1 逆恨みや引き倒しもある、熱烈な後援や肩入れ
4 泥酔者のスラローム歩行
8 芸者衆がお稽古する教養科目。藤間流・西川流・花柳流etc.
10 目の上のアクセント
11 僧が説く「なにもなし」。一切皆──、色即是──
12 岩石、土中の隙間の割合
14 政治家稼業に危機迫る、票田の支持力衰退
16 表現主義の先駆をなす、ノルウェーの画家。『叫び』は美大生の定番ギャグ
17 杭の土中部分、草花の切り口を火で焦がし、長持ちさせる手法
19 想像した話を見てきたように綴る人
22 若田光一さんが船外活動するときの作業着
24 木星の第1衛星。第2はエウロパ、第3はガニメデ、第4はカリストです
26 実際を想定した真似事
27 不都合はさらりと聞き流す四字熟語
29 条約成立で当事国の代表が

1	8	11	■	16		22	26	29
2		A	14		■	23		
3		■	15		19		■	
■	9	12	B	■	20		27	
4								
5				■	21 C			■
	■	13		17		■	28	30
6	10		■	18		24 D		
7					■	25		

＊二重ワクに入った文字をA～Dの順に並べてできる言葉は何でしょう?

A
B
C
D

各々署名捺印。ヤクザ社会でいう「手打ち」と同根

30 さいころ、花札で勝負する日本伝統の渡世人

第2章

31～60
(9マス×11マス)

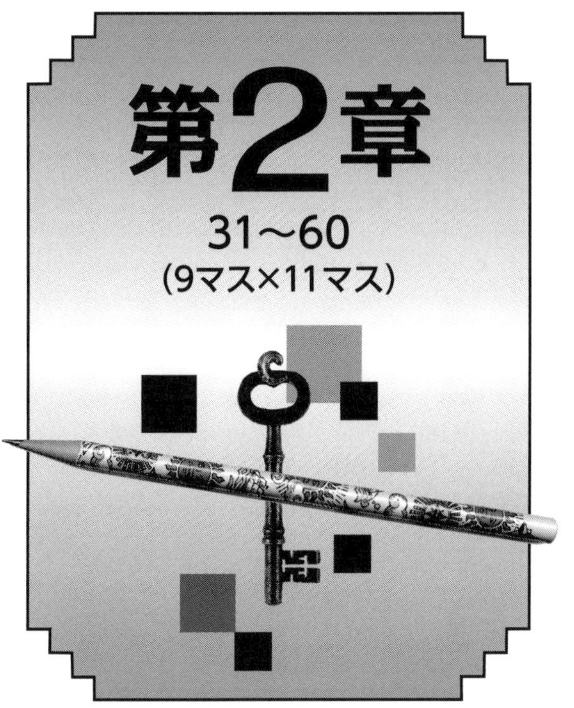

31 睡眠中に没入

作●前島奨太

ヨコのカギ

1 暑苦しいから安眠できない
2 変わると眠れない人もいる
3 ピンからココまで
4 ──を割ったような潔さ
5 ワクワク、胸が膨らむね
6 岩が多い海釣りスポット
7 減量後、暴飲暴食のせいで
9 英単語のは間違えやすい
11 睡眠中に没入
13 コーヒーの眠気覚まし成分
14 夏の寝床に吊る虫よけ
16 おねしょしないように行く
17 布団を敷く所
19 とても厳しい──な状況
21 施術が気持ちよくて寝落ち
23 このマークが出たらNG
25 朝起きて「グッド──」
27 話の最中に折られたら嫌
29 タイヤの空気漏れ
30 安眠のために飲んで微酔い
32 朝まで起きっぱなし
33 的の中心はブル
35 寝起きをする住まい
36 レム睡眠のとき活発に働く
37 ゆでる前の素麺の状態

タテのカギ

1 パジャマなどのウェア
4 眠っているなんて嘘っぱち
8 ビルトインタイプの家具は
10 ざるや盛りを食べた締めに
12 チャンジャにする魚
13 つぼみがふくらんだあとに
15 菅原道真も愛した樹木
16 豚が見つける高級きのこ
18 多くの人が寝ている時間帯
20 床に臥す理由
22 安全かみそりの交換パーツ
24 川の字に寝る際の真ん中
26 再婚相手にいる養育対象
28 よそでひと晩寝て過ごす
30 商売繁盛で持ってこい！
31 てこの固定ポイント
33 布団に潜む嫌な奴
34 誕生日にホールで購入
36 訳語は夜想曲
38 寝室でひと晩つけっぱなし
39 エコ　ハンド　ボストン

＊二重ワクに入った文字をA～Eの順に並べてできる言葉は何でしょう？

A	B	C	D	E

1 A	8	12		20	■	30	34	■
2			■	21	26			38 D
3		■	16			■	35	
■	9			■	27	31	■	
4		■	17	22	■	32		
	■	13		E	28		■	
5			■	23		■	36	
	■	14	18	■	29			■
6	10	■	19	24		■	37	39
7 C		15			■	33		
■	11		■	25				B

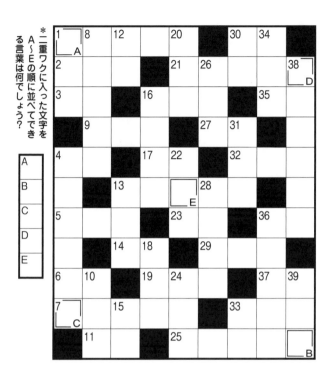

32 恋に目覚める

作●たいちゃん

➡ ヨコのカギ

1 信玄と謙信が戦った古戦場
2 座布団に詰めるぽふぽふ
3 平幕が横綱に土をつけた
4 貨物をコンテナでガタゴト
5 薄力粉をふるってなくす
6 薬入れ。黄門様一行も携帯
7 文中の「誰が」や「何は」
8 「玉」より格上
11 アレルギーでこんな反応
13 クリスマスに贈答品配送
15 恋に目覚めるお年頃
18 レシピに記載。人数分で
20 弓矢で射抜くこんなの→◎
21 競馬のゲート、並んだ状態
23 お口の中の健診はこちらへ
25 隅田川に——船、風情だね
27 パティシエがつくる
28 南国果実。ラッシーに
29 面接で「読書」と答えた
31 布端にボソボソ。——止め
33 ——札　——物　——手形
34 紅と白が運動会で対抗
36 東北の方言でいう「べこ」

⬇ タテのカギ

1 余談を本題に戻す四字熟語
7 西瓜にパッで甘さ引き立つ
9 「カーボン」とも呼ぶ
10 「もみじ——」広島土産に
12 アメリカ航空宇宙局の通称
14 ハットもキャップも
16 今に伝わる孔子の教え
17 和装に似合う髪飾り
19 気性の荒い白黒の草食動物
22 受賞をやんわりお断り
23 その国の政治の中心地
24 ガレージ。いや寿司ネタか
26 純和風にしつらえた宿
28 花盛り。桜が——を迎える
29 アウフヘーベン
30 武道で反復して身につける
32 子丑寅卯■巳午未申酉戌亥
33 卒園の翌月はもう——式か
35 ——により本日臨時休業
37 ——プロ　——ヌード
38 模擬実験。渋滞予測に活用

＊二重ワクに入った文字をA～Gの順に並べてできる言葉は何でしょう？

A
B
C
D
E
F
G

1		12	17	22		■	33	37 C
	■	13		E	■	29		
2	9	■	18		26			■
3	B	14		■	27			38
4			■	23		■	34	
	■	15	19		D	30	■	
5	10	■	20		■	31	35	
6		16		■	28		G	
■	11		F	24		■	36	
7			■	25		32	■	
8 A		■	21					

33 kstnhmyrwgzdbp

作●ヤンマー部隊隊長

ヨコのカギ

1 ――ニカル、――ニック、――ニズムのどれかの略語。いずれにしても機械的
2 あらゆる個体の中でも硬さと価格がトップクラス
3 ローマ字のaiueo
4 長期間の⇩25で耐える
5 労働争議の代表的な行為
6 はげしい雨風。静けさのあとに来るかも
7 一般的なハープには47本
10 ワタの果実からとれる繊維
12 直前の連絡でごめん！　急用で行けなくなっちゃった
14 あれこれ要らぬ心配をする
15 気分がはればれしない…
16 「私は３人組です」という意味ではない、宗教的な題材の合唱つき管弦楽曲
17 ローマ字のkstnhmyrwgzdbp
18 くぎられた範囲。市街化調整――
19 翌々々日には、やめちゃう
21 ヘアケアが必要な分岐
23 缶詰の中身は輪っか状
26 １字で「日本」を表す英字
28 江戸川乱歩のデビュー作は『――銅貨』
29 サクサク生地にフルーツやクリームをのせた洋菓子
31 ――は世につれ世は――につれ
32 扉を開けるとき掴む握り玉
33 おかあさん
35 鳥や魚のグループ

タテのカギ

1 冬山登山をするときにスッポリかぶって顔面も防寒
5 長すぎるズボンの丈を調整
8 シジミとかサザエとか
9 芸事の伝統を継承する宗家。落語の立川流は談志師匠がこれでした
11 陸地。シーじゃないほう
13 朝が来たら仕事はそろそろ終わり
15 ヨーロッパの気高き武人
16 お粥の上澄み。離乳食にもなります
17 宇宙船の窓の外は、こんな状態
19 神様に捧げるお酒
20 モデルさんが歩く、ファッションショー会場の花道
22 人々の印象に強く残る作品をひとつ生み出しました
24 北海道にも出現する海獣
25 何も食わんぞ

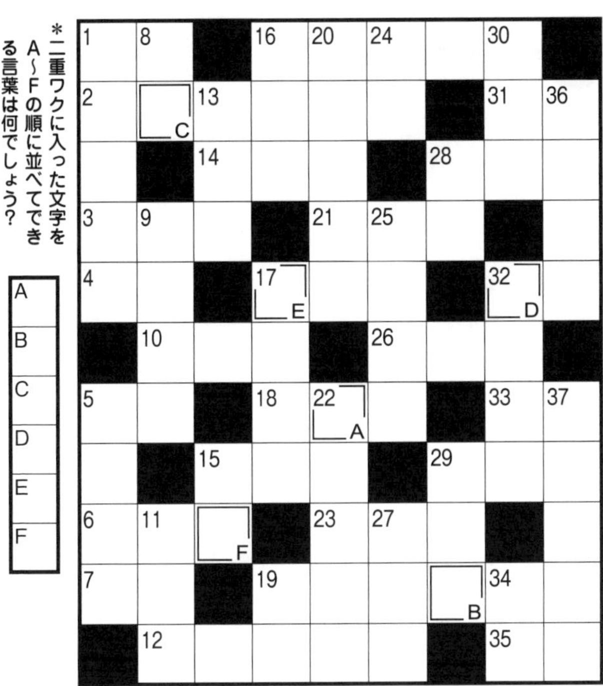
＊二重ワクに入った文字をA～Fの順に並べてできる言葉は何でしょう？
A
B
C
D
E
F

27　この部署が担当していた業務を、別の部署へ

28　——も隠れもいたしません

29　ここでイネを栽培します

30　恋人同士が２人で会うことの、古風ですてきな表現

32　普通。社会が変化したあとの新しい常識を「ニュー・——」と言ったりします

34　高圧的で——を言わせない

36　頭をぶつけてプクーッ

37　正鵠（せいこく）を射ていない意見

34 徹夜したおかげ

作●ひらやまひらめ

ヨコのカギ

1 いつまでも終わらず続く。“マーチ王”スーザの代表曲『星条旗よ――なれ』
2 以前にしたものを取り消す言葉。武士に――はない
3 人生にもある分かれ道
5 耳が長くて、足が速くて、子だくさんな動物
6 他のものに例えて表現する
7 役に立つため力を尽くす
10 妖怪　怪物　魑魅魍魎
12 永久不変。1年中、緑の葉を保つのは――木。水戸の偕楽園の別名は――公園
14 恥ずかしいときに火が出るところ
16 気長に待つ時間が大半を占める道楽
18 なきがら　しかばね
20 メエと鳴く動物の肉
21 人とのつながり。漢字では「縁」
22 リズム・アンド・ブルースから派生した。略さずに言うと――ンロール
24 おもに耳で鑑賞する芸術
25 地球上のすべて。――平和、――地図
26 技術が発達して、社会が便利で豊かになる。四大――
27 金銭や物資など。一代にして――をなす
28 そうなるだろうと思っていたよ
29 イレブンで戦う球技
31 物事を支えるいちばん大事な部分。扇の――
33 服を脱がずに楽しめる温泉
35 横方向の長さ
37 昼がいちばん長い日

タテのカギ

1 夏の思い出を書いたり描いたり
4 世間の目が届かない、どこか遠い場所へ。恋の――
8 盤上で黒と白が争う
9 ブレーメンの音楽隊で、いちばん大柄な動物
11 前後や上下とは90度向きが違う
13 音楽のジャンル。こぶしをきかせます
15 内閣不信任案が――される
17 これの美しさは風光明媚と評される
19 厄を除けたり、幸運を呼ぶために身につける
21 ヒラメやカレイのおいしい部位

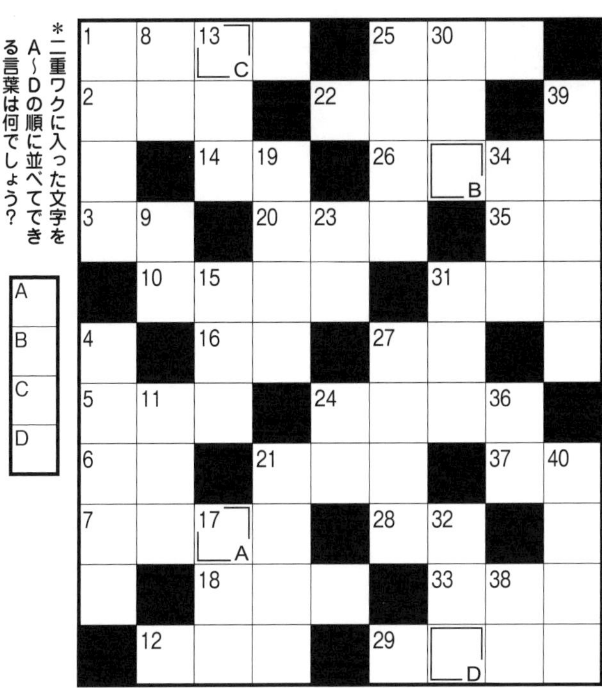
＊二重ワクに入った文字をA～Dの順に並べてできる言葉は何でしょう?
A
B
C
D

23 家臣が仕える
24 豆をまいて追い払う
25 立春の前日
27 暦の上では夏が過ぎても、変わらず気温の高い日々
30 破ると勘当されるかもしれない親からの教え
31 絵師や画家の主たる創作物
32 高い低いが天気図に表現されている
34 徹夜したおかげでようやく仕事の──がつく
36 朝廷に仕える貴族たち
38 「洛陽の──を高める」とは、本がよく売れること
39 映画やドラマのベストシーン。漢字の1文字目が迷になる場合もある
40 トロトロコトコト煮込む西洋料理

35 ゲームを遊ぶ

作●冴戒椎也

ヨコのカギ

2 海が陸地に入り込んだ部分。細かく続くとリアス海岸に
3 さかな。――心あれば水心
4 脂肪を多く含んだマグロの肉のこと。大――、中――
5 一度に2つ前・1つ横のマスまで移動できる将棋の駒
6 将棋で使う駒は五角形、では囲碁で使う碁石の形は？
7 進行している物事を一時的に止めること。囲碁や将棋だと反則・マナー違反です
9 ドラマや映画の脚本のこと
10 飛び出た目から名前がついたとされる春に美味しい魚
11 麻雀で、テンパイを宣言すること。漢字では「立直」
12 職業として囲碁を打ったり将棋を指したりしている人
14 追い詰められて必死の反撃をすること、――猫を噛む
16 職業として、麻雀を打つ人
17 やつれていて血の気の無い顔色のことを――色という
19 クオリティー。量より――
21 自我。ラテン語の「私」を意味する言葉からきている
23 一晩経つこと。江戸っ子はこれの金を持たないらしい
25 将棋もチェスも――ゲーム
27 MTB＝マウンテン・――
29 将棋で、相手に王手をされ動かせる駒がなくなる状態
30 将棋やチェスは駒がどんな――をするか読むのが重要
32 囲碁や将棋の戦い方にあらわれる、人それぞれの個性
34 「樹木」を意味する英単語
36 狭き――を突破してプロに
38 出る――は打たれることも
39 麻雀は手元の牌で――を作ることが勝利への絶対条件

タテのカギ

1 東洋の逆。チェスのことを――将棋と言ったりもする
4 持ち時間に制限のある将棋や囲碁では必須のアイテム
6 願い事を書き神社に奉納する板。五角形のことが多い
8 肌の色あいを整える化粧品
10 元々は麻雀用語だった、ゲームを遊ぶメンバーのこと
11 企業活動などで追い求める「もうけ」のこと。↔損失
13 牛や馬を飼うための広場。同じ漢字でボクジョウとも
15 応援してくれる人の割合。内閣――を調査したりする
18 犯した罪や過失を大目に見

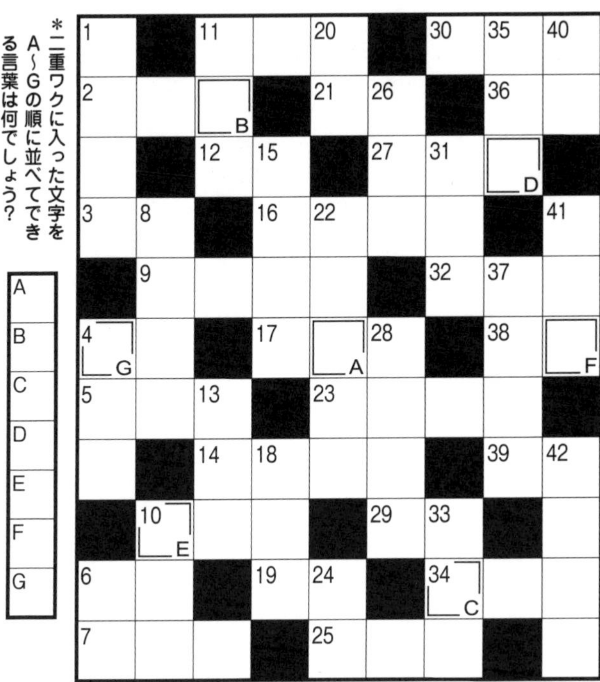
＊二重ワクに入った文字をA～Gの順に並べてできる言葉は何でしょう？
A
B
C
D
E
F
G

てもらうこと。――を請う

20 考えて判断すること。将棋の対局時も――を働かせる

22 勝負事におけるインチキ。八百屋の長兵衛さんが囲碁で手加減したことにちなむ

24 対戦相手の策略にはまってしまい、相手の思う――だ

26 囲碁の対局が行われる舞台。綺麗な十字に仕切られた町をこれの目に例えることも

28 ついうっかり。――な手を打ってしまい急にピンチ！

31 美――　自――　――不明

33 ある一定の範囲に分布している割合のこと。人口――

35 碁石を使う遊び、――並べ。ルールを整備した「連珠」は名人戦や世界大会もある

37 文書などのうつし。コピー機のことを――機ともいう

40 将棋の駒の初期配置で王将（玉将）の両脇に置かれる

41 キングの地位のこと。将棋のタイトル戦のひとつにも

42 縦横斜めに好きなだけ進めるチェスの駒。記号「Q」

36 花粉症持ちの私

作●おらけ

➔ ヨコのカギ

1 特にかしこまらない服装
2 服の首の周りの部分
3 絵をそえるものは夏休みの宿題の定番
4 髪を整える道具
5 訂正に備えて押しておく
7 横浜ベイスターズ日本一の立役者、佐々木投手の愛称
8 左右の脚の分かれ目
9 耳そうじに使う道具
12 マグロの仲間のことだけど缶詰のイメージが強い
15 早すぎたため反則
17 脳を守るよろいの役目
19 家で食事を作って食べる
21 表計算ソフトのマス目
23 電車の一時運転見合わせのこともこう呼ぶ
25 水中に住む姫のような存在
26 名字のこと
27 忘れたころに来るとされる
28 簡易な室内用の履き物
30 反対語は妹と兄
32 書道で使う黒いもの
34 次に身につける服
36 ボクシングのカウントは
38 居酒屋よりはオシャレなイメージ
40 世間一般のこと

⬇ タテのカギ

1 炎の中からよみがえる
6 実は大豆なおつまみの定番
10 １位の人は首位打者という
11 JRも今は民営だがこうは呼ばない
13 正統から外れている
14 囲碁や将棋の対局記録
16 夕立の空に走る光
18 エサのようでエサでない
20 ぐるぐるとした構造
22 強大な組織の中心部
24 にっこり笑って
26 片目をぱっちん
27 おもに中高生の年頃
28 バラバラにしたらいくら
29 満ちたり引いたり
31 花粉症持ちの私は春先の必需品
33 剣道の攻撃方法の１つ
35 買い取り価格をじっくり検討
37 茶碗蒸しやカツ丼に色を添える
39 写真も絵もパソコン上では
41 屋内や室内のこと
42 ボウリングなら300点

＊二重ワクに入った文字をA～Dの順に並べてできる言葉は何でしょう？

A
B
C
D

1	10		18	■	27		35	41
2	B	■	19	24		■	36	
3		14	■	25		31		A
	■	15	20				■	
4	11	■	21		■	32	37	■
5		16		■	28			42
■	12		■	26		■	38	
6	■	17	22			33	■	
7	13				■	34	39	
8		■	23		29	■	40	D
9	C			■	30			

37 最高気温が

作●サイレント・ファン

➡ ヨコのカギ

1 天気予報でこれの注意報が出たらピカッ！ゴロゴロ…と落ちるかも
2 顔に出たら休養が必要
3 田植えなどを共同で行う
4 つかむと上手になれる
5 何かの起源や祖先
6 直接の関係はない人や場所
7 暦ではここから寒い季節
9 ↔アウト
12 寒い季節だけど寒くない
13 最近の案内役の通称
14 脊柱の下端の骨
16 目に入れても痛くない
17 雪山などで起きる目の炎症
19 潮の干満の差が最大の時
21 物を預かりお金を貸す
22 しぼり取ったあとの残り物
23 仏教などのそれぞれの流派
24 これの結晶は努力の成果
25 行き詰まりを打ち破る
27 立秋から秋分までの暑さ
29 ライターの普及で少数派に
30 東西南北など
32 たまに木から落ちる
33 中国料理でスープ類全般
34 臭いものにする

⬇ タテのカギ

1 日本の雨季…に雨が少ない
4 10月ごろの暖かい晴れの日
8 気象予報士がお天気を
10 これがない人は効率的
11 雪山では十分に注意
13 最高気温が25℃以上の日
15 割や分よりさらに細かい
16 最高気温が0℃未満の日
18 呼べば答えること
20 １歳違いの兄弟姉妹
22 世界一硬い（？）食品の原料
23 関西で興行主のこと
24 気象の観測システムの略称
26 ものを見る立場や視点
28 東北地方では凶作風とも
30 この機能のある弁当箱も
31 大人は酒で晴らす？
33 大型化すると大変な低気圧
35 ３月ごろに吹く強い南風
36 二十四節気でいちばん暑い

＊二重ワクに入った文字をA～Dの順に並べてできる言葉は何でしょう？

A
B
C
D

1		11	15	■	23		31	35
	■	12 C		20		■	32	
2	8		■	21		28	■	
3		■	16		■	29		D
■	9			■	24		■	
4		■	17 A			■	33	
	■	13		■	25			■
5			■	22		■	34	36
	■	14	18		■	30	B	
6	10	■	19		26		■	
7				■	27			

38 日韓中米墨の球団
作●小銭球

ヨコのカギ

2 投手の最も基本的な球種
3 正方形には4つ
4 音波を受けて振動する
5 フェンス直撃の打球でも、これをうまく処理できれば単打ですませられる
6 縄との違いは微妙
7 プロ野球球団のキャンプはこの県や沖縄で行われがち
9 打者と走者の連携プレー
11 対局の別名は「烏鷺(うろ)の争い」
12 肩に――が出たので――を打ってもらおう
13 ――コース　ホーム――
14 カイコのは絹の原料になる
17 野球拳で負けが込んだ結果
19 目から落ちて急に理解した
23 野球だと投手と捕手が組む
24 投げて遊ぶ玩具。野球ではジャッグルやファンブルと呼ばれるお粗末プレー
26 ――か――かと試合開始を待つ
28 タヌキもキツネもこの仲間
29 これの英語名をチーム名に使っているプロ野球球団が日本・韓国・中国・米国・メキシコにある
31 アイロンの扱いをミスると服にできてしまったりする
33 5回終了時に15点差がつきコールド負け。相手チームとの――の差がありすぎた
36 スポーツ新聞の1面トップのは野球関連が多め
38 「かけ」+これ=「力」

タテのカギ

1 まつげを濃く見せるために使われる化粧品
4 JRの前身。プロ野球球団のスワローズを（間接的に）所有していたこともある
8 ボラが成長してこれに
9 ――感染する伝染病もある
10 一塁手・二塁手・遊撃手・三塁手が守る
12 屋外での野球観戦に向いている天気
13 広島の――神社は世界遺産
15 いぐさで作るカーペット
16 プロ野球の「ハマの番長」の髪型
18 しゃくしゃくと思いきや、足をすくわれることも
20 時速150kmの球を打つとき、バッターの奥歯には1――の力がかかるのだとか
21 アダムとイヴがいた楽園
22 またの名をウサギウマ

＊二重ワクに入った文字をA～Fの順に並べてできる言葉は何でしょう？

A	B	C	D	E	F

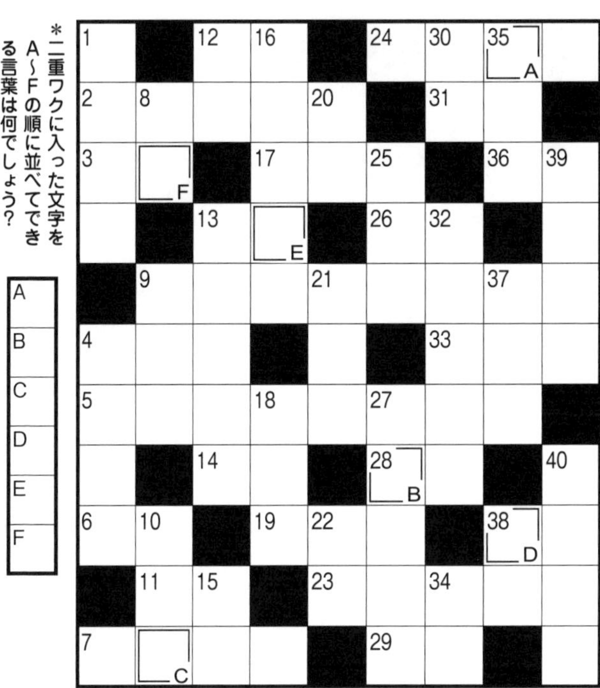

25　野球のファウル――の幅は7.6cmと定められている

27　会合や運動などへの集団的不参加。プロ野球で応援の――が行われたこともある

30　支点・力点・作用点がある

32　バター多めのフランス菓子

34　自主トレとしてここで滝行をするプロ野球選手も

35　――投手はコントロールが良くないと務まらない

37　「レッテル」はオランダ語、ほぼ同義のこちらは英語

38　突き刺す漁具

39　「クイズが好きです。得意な――はプロ野球です」

40　盗塁。ダブル――、ホーム――、ディレイド――

39 横長の画像で表示

作●ぺそぎん

➡ ヨコのカギ

1 髪型だったり近道だったり
2 食べすぎた時にもたれるのは胃ですが、焼けるのは
3 ⇩22ポップの⇩22はこの国
4 こんな性格は「塩」で例えられることもある
5 アニメやゲームに使われていましたが、2020年末でサポートが終了しました
6 続きはCMの――で
7 シカゴがある州です
8 ⇩33のもっと重みや大きさが増した版
12 上から目線じゃない態度
13 Webサイトを見ていると横長の画像で表示されます
15 ――の巣は中華三大珍味の１つです
16 那須与一が射抜いたもの
17 水道管が凍結するとこうなるリスクがあります
18 この容器でプリンを作ってみたい
21 翼がこれを受けることで飛行機が浮いていられます
24 １年間の半分の半分
26 プロの下で働きながらその技術を学びます
27 パソコンはおもにキーボードとこれで操作します
28 電卓みたいな――キーは、キーボード右側にあることが多い
29 「1000倍」の意味で⇩22をこう読むこともある
31 パスワードを設定しないと個人情報が――抜けです

⬇ タテのカギ

1 これを新しいスマホに挿し替えるだけで機種変更できる場合もある
5 信号を光――で伝えることで高速通信ができます
9 １つのことに集中しているときになくなります
10 工場はファクトリー、研究所は
11 ――燃料は持ち運びが簡単
14 集中練習
16 化粧品の名前が含まれる植物です
19 英語でヒポポタマスといいます
20 同じデータを仲間にも送ります
22 ８――＞４――＞フルＨＤ＞ＨＤの順で高画質です
23 王将が討ち取られる少し前からスタート

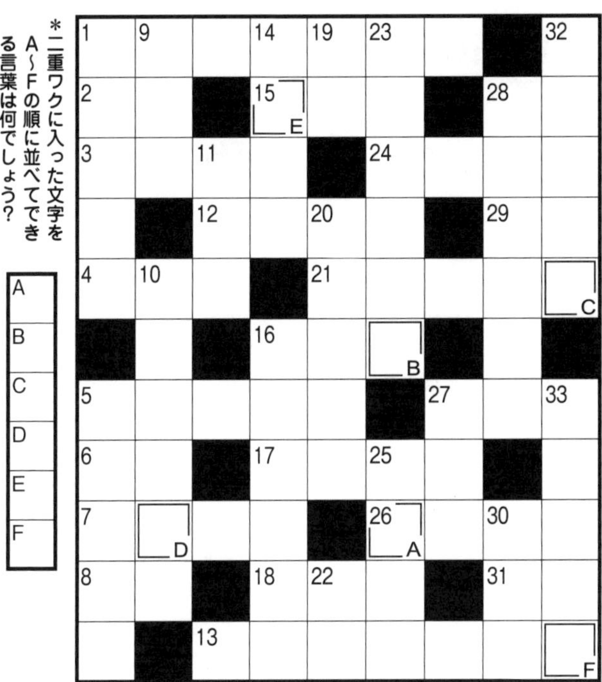
＊二重ワクに入った文字をA～Fの順に並べてできる言葉は何でしょう？
A
B
C
D
E
F

25　空間の内側の角。ここで暮らすキャラクターもいます
27　日本で使われる個人番号の略称。──ポータルや──ポイントなどのサービスがあります
28　靴を投げて占うよりもはるかに正確です
30　今は国内で数頭しか飼育されていない海獣
32　ニューレコード
33　いろいろな方向に倒して操作ができるジョイ──

40 人間視点で

作●チェバの定理

➡ ヨコのカギ

1 卵を産める方のニワトリ
2 ライオンやチーターも仲間
3 温度が上がりすぎの状態
4 マトンではないヒツジの肉
6 腕利きの医者
7 ネギで有名な群馬県の町
9 粗野で雑な様子
10 掛川花鳥園や富士サファリパークがある県
12 動物の筋肉を作る細胞
15 荒―― 軽―― 人間――
16 人間視点でレッテルを貼られたノミやダニやカなど
18 紙を食べる昆虫
19 肺へ血液を送る――室
22 白馬の別名
23 張って思いを通そうとする
24 アマゾンの肉食魚
25 現在は愛媛県
26 天然記念物のげっ歯類
27 ハゼ科の魚。琵琶湖付近で食されるイサザもこの仲間
29 鶏肉もしくは臆病者
30 天草などでウォッチングできる海の哺乳類
33 貝類や野菜などを酢味噌で和えた料理
34 お好み焼きを食べる道具

⬇ タテのカギ

1 ――ザル ――ウオ
3 ラッコが貝のを割る
5 悪臭を放つ爬虫類…ではなく昆虫
8 金持ちの昆虫
11 縄文や弥生に作られた容器
13 小銭がないのでこれで払う
14 タラバと並ぶ冬の味覚
17 隣の部屋
19 水瓶座と牡羊座の間
20 洗濯―― 羽子――
21 夏に近所迷惑な昆虫
22 水族館でもおなじみの哺乳類。昔は日本にもいた
23 徒競走スタート直前につく
24 ボウリングで倒す
25 電子が増えたり減ったりしてこれになる
26 美女とセットの野生動物
28 日本では高山に生息する鳥。「――の里」は信州土産
30 この問題を解いている瞬間
31 乾季がある地域にある
32 那須どうぶつ王国で人気の➡2の仲間
35 水上をスーイスイな昆虫
36 ワシより小型が多い猛禽類
37 この問題の作者のペンネームに含まれる普通名詞

1		11 [G]	17	■	24 [P]	28		35
	■	12		21			■	
2 [K]	8	■	18	[M]	■	29		[D]
■	9	13		■	25 [B]		■	
3		[O]	■	22		[H]	32	■
4		■	19	[I]		■	33	36
■	10	14 [L]			■	30 [F]		
5	■	15	[C]	■	26			■
6 [E]			■	23 [N]		■	34	37 [J]
	■	16	20			31	■	
7			[A]	■	27	[Q]		

＊二重ワクに入った文字をA～Qの順に並べてできる言葉は何でしょう？

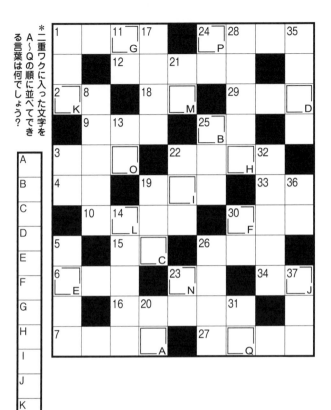

A	
B	
C	
D	
E	
F	
G	
H	
I	
J	
K	
L	
M	
N	
O	
P	
Q	

41 異世界クロスワード

作●最門雅

➡ ヨコのカギ

1 作者より「トラックにひかれた主人公は、戦士の格好で目覚めました。どうやらアニメや小説の、いわゆる「異世界――もの」みたいな感じで、ゲームの世界に来たようです。このあとの( )が付いているカギは、その状況をふまえたヒントになります」
2 (プニュプニュした――がいるぞ。どうやら俺はRPGの世界に来たようだな)
3 放電灯を使った屋外広告
5 画家や軍人がかぶる帽子
6 ――は友を呼ぶ
7 (この洞窟は同じ敵ばかり出るな…いい加減――だ)
8 (白金を使った――ソードが欲しいな。だが資金が足りない…)
12 (全体攻撃がクリティカルヒット！　敵を一網打尽にして――した)
14 (レアアイテム「謎の写本」こいつはいわゆる――とか稀覯本(きこうぼん)のたぐいだな)
16 外出時にはくもの
17 その使い手として安倍晴明がよく知られる
18 (いよいよラスボス戦だ、これぞ――一代の大勝負)
20 親　子　薬
21 利点。――取り
22 銀行の利用者が口座を
24 (城の正面は敵だらけだな、反対側の――から入ろう)
25 不当の反対。――化、――防衛
27 雑誌や書籍の巻頭に入れるイラスト類
30 ドクターのお仕事

⬇ タテのカギ

1 (ここがRPGの世界だとすると、ダンジョンの奥で敵が――を引いて待ち構えているはずだ。先に町へ行って装備を整えよう)
4 (ボスを倒すには相当――しないと無理か…しばらくはザコ敵を倒しまくろう)
9 首都はヴィエンチャンの国
10 (火の属性のモンスターには――魔法が効きそうだな)
11 (船で移動だ。目的地につくまでに――から情報収集しよう)
12 (この世界には存在しないようだ。レンタ――でもあ

＊二重ワクに入った文字をA～Dの順に並べてできる言葉は何でしょう?
A
B
C
D

れば移動が楽なんだが)

13 (何もない広場だ。一見ただの――だが調べてると…レアアイテムを発見！)

15 (敵が全然出てこない。どうやら出現確率は――のようだな)

17 目覚めのそのとき

19 (もっと⇩4してワープ魔法を覚えれば、――で移動ができるぞ)

21 (大ダメージを負った…これで俺も――の終わりか)

23 併発する別のやまい

26 (港に着いた。⇩11は男ばかりで――はいなかったな)

27 (しまった！　剣が――を切った、ヤラレル…)

28 タロットや水晶玉を使って

29 地ならしともいう

31 (魔物にしては小さいな…――なのか。とはいえ魔物だ、油断禁物だぞ)

32 (誰も助けてはくれない、文字どおり――な冒険だ。仲間を見つけてパーティーを組みたい…)

33 ――場　床――　不買――

42 だいたいこんなもん

作●茅ヶ崎うずら

ヨコのカギ

1 シュメール人、楔形文字と聞くと思い浮かぶ古代文明
2 木を２本そだてます。実際は２本以上だと思う
3 ４つの感情の最初の２つ
4 大きな波。台風の前兆かも
5 先生は白衣を着ていがち
7 ヒマラヤ登山を成功に導く人々
8 穴あけ担当工具
11 エンジンを冷やします
14 英国風おやつの時間
15 あと少しでマッハ１
18 行きがのぼりなら帰りはくだりな道
20 白鵬も踏みました
22 危険なシーンはお任せください
24 毛皮が自慢なイタチの仲間
25 読めない、ふってくれ
27 茶碗の底の盛り上がり
30 窒素やマンガンが次にくっつきがち
33 夜つくられるんですって
35 お盆には牛になる野菜
37 熱いものを食べるとヤケドすることも
38 だいたいこんなもん

タテのカギ

1 真相は闇の中
6 白砂青松や風光明媚などと言って誉める
9 どんだけ進めるか
10 私は目玉焼きを作るとき、ヒヨコは生まれるときに割ります
12 Ｔシャツには無い
13 バケツや袋が次にくっつきがち
14 猟犬の一種だわん
16 ロマンチックバレエの代表作。精霊が出ますよ
17 あわ〜いカラー
19 言いつけや教育
21 トランプの１回休み
23 観客が盛り上がっていると何度も何度も繰り返され、役者さんが何度も何度も舞台に登場する
26 アオの生みの親
28 Ｃで表される元素
29 「おひけえなすって」って言いそうな人
31 最近はケータイがこれ代わり
32 『黄金の魚』や『セネシオ』を描いたパウルさん
34 お盆に帰ったりする

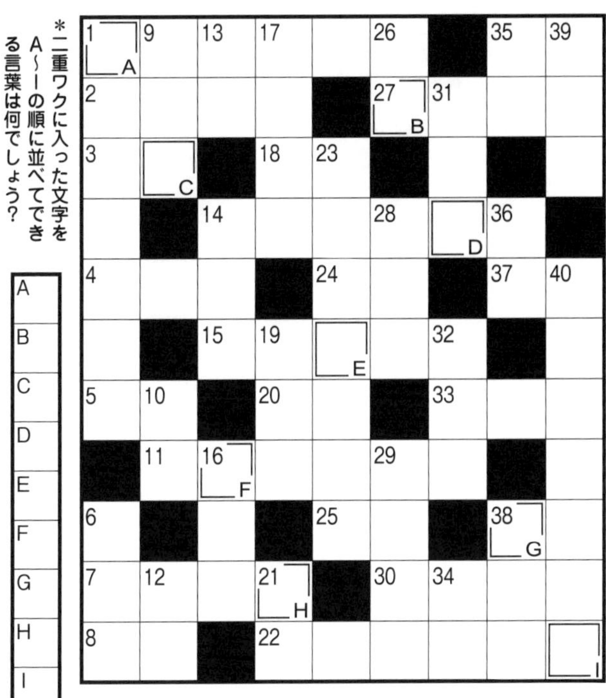

＊二重ワクに入った文字をA～Iの順に並べてできる言葉は何でしょう？
A
B
C
D
E
F
G
H
I

35　スフィンクスが出しました
36　見て見ないふり
38　でっかいトンボ
39　なぜ得点と言わない
40　それはそれはどっさり食べる人

43 資格がある
作●あさり

➡ヨコのカギ

1 幼名「アリジゴク」
2 回転翼で飛ぶ航空機の略称
3 体温計で測るもの
4 スポーツの前にすること
5 成人式に着るもの
6 韓国式の鍋料理
7 当日は売り切れるかもしれないからこれを買っておこう
9 白、黒、茶の猫
11 最初に習う四則演算
13 海に面していない地域
15 大切に育てられた女の子
17 噴水のような温泉
18 話を省略、かくかく――
19 冬の道路はこれに注意
25 うっかり
26 資産の状況などを数字でまとめる
28 「――のつぶて」とは返事が無いこと
30 刀の握る部分
31 齢を重ねると感じる

⬇タテのカギ

1 「1＋1＝2」の2の側
3 気合を入れるとき頭に巻く
8 気づかれずに財布を盗む
9 外国から不正に物を持ち込む犯罪
10 ジャマイカ発祥の音楽
11 かぐや姫がいたのはこの中
12 土用の丑の日に食べたい魚
14 保守的な勢力
16 田んぼや畑に佇むもの
18 ⬇11で作られた刀
19 夢中になっている人
20 英文法で学びます。「過去からずっと～している」状態
21 悪事がばれること
22 リモートワークではここがオフィスになることも
23 義務＝しなくてはならない　？？＝する資格がある
24 落ち込んだ状態
25 工事などを避け、まわり道する
26 記事や企画が不採用に
27 おんぶで子供を乗せる場所
29 国会や裁判の時、特殊な記号でとる記録
31 ♂
32 地球温暖化のおもな原因
33 糸でできた―――――――

＊二重ワクに入った文字をA～Gの順に並べてできる言葉は何でしょう？

A	B	C	D	E	F	G

1	8		16	20	21	24	■	32
2 [A]		■	17				27	[B]
	■	11		[F]		■	28	
■	9		■		■	25		
3		■	18		22 [E]		■	
4		12					29	
	■	13				■	30	
5	10		■		■	26		■
6	[C]	■	19		23		■	33
7		14			[D]	■	31	[G]
	■	15						

44 帽子の中から

作●矢野龍王

ヨコのカギ

1 自由研究の発表などでよく使われる紙
2 募集に対して、前向きな意思表示をする
3 動物の食べ物
4 Cuで表す元素
5 昨日と今日とで働く部署が違う状況
6 私の親＝この人の親、私の年＞この人の年
8 ジキよりも目の粗い入れ物
10 白いエリアの中に黄色い円のある料理
11 鉄道においてお金を余計に払うと特別に得られる権利
12 虫眼鏡－（フレーム＋持ち手）
13 食事中に顔につけると他人から指摘される白くて小さなもの
16 薬を服用すると和らぐ頭や体の一部の症状
17 でこぼこなど状態のよくない道
21 ８月23日～９月22日
23 カナラズーノ
25 金、銀、→4…
27 遥か昔に日本国内で作られた人形
29 腐った臭いに喩えられるが、これ自体に臭いはない
30 数字のひとつ、→31＞→30
31 数字のひとつ、→30＞→31

タテのカギ

1 教わったことが身につくまでのスピード
4 オフィスワークの人がかかりやすい症状
7 飲み物に入れることの多い調味料
9 おにぎりの中に入れる代表的な具材
12 ある組織＋別の組織
14 ワラビ、ゼンマイ、ツクシといった植物の総称
15 頭痛の起きやすい気象の条件
18 帽子の中から登場することもある生き物
19 食べ物を切断するときに使う道具
20 鉄骨など重いものを持ち上げる機械
21 ３番目＝中、５番目＝小のとき、１番目
22 ピリオド＋コンマ
24 28日のは、たまに29日に

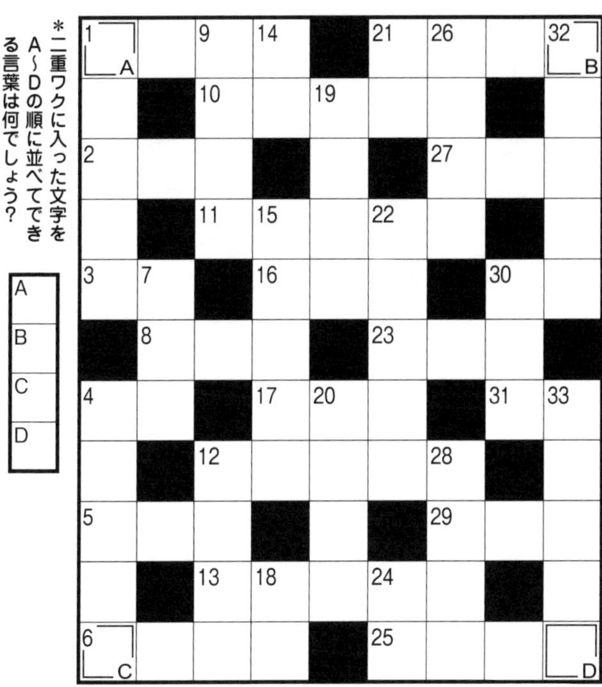
＊二重ワクに入った文字をA～Dの順に並べてできる言葉は何でしょう？
A
B
C
D

26 天気予報でどっちつかずの天候を表現するときに使う言葉

28 かなり

30 いくさのときに身に纏うもの

32 見た目はそうめんやひやむぎと似た構成

33 広島や岡山はこの地方

45 思いつくまま

作●白銀のオオカミ

➡ヨコのカギ

1 A 澱粉(でんぷん)の糊化 プラス
2 一同 ex. 数字の１つ
3 反省する 現在進行形 世の中の流れ
4 梅干し 卵 七草
5 アーチェリー デマンド
6 ホーム バッグ ウェイ
7 空想科学小説 スペースオペラ すこしふしぎ
10 立ち入り 進入 駐停車
12 戦闘集団 行政区画 代数学に現れるgroup
13 思いつくまま挙げてみよう
14 足が 藪から 犬も歩けば
16 ビール ラグビー 帆船
18 周到 簡単 物の怪
19 赤城 六甲 八ヶ岳
21 日本では夏は南東冬は北西
23 割り算 行政機関 約1.8リットル
24 手旗 ラッパ 感応式
26 ソファ ベッド 本棚
27 識者に尋ねる 口頭―― 犯人のが検出されました
29 枕草子 徒然草 方丈記
30 容器 日本髪 機を見るに
32 屋台 夏の季語 アセチレンランプ
34 掛け算 座る しても一人
35 ヨコの タテの 扉の
36 主 取引 未公開

⬇タテのカギ

1 編曲 手配 再構成
4 官吏登用試験 進士 秀才
6 かがみ ばらい だおし
8 一 二 三 本
9 ガソリン 灯油 重油
11 平安京 春告鳥 梅に
13 ボーダー ホット ガイド
14 赤い羽根 緑の羽根 箱
15 餅 雛 雹(ひょう)
17 濃口 薄口 再仕込
19 ⬇13 オン セット印刷
20 打 弦 管
22 髪を引かれる 正面は誰
24 海 彼女 ３番目
25 文明の起こり 大航海時代 産業革命
28 日除け すだれ 立てかけ
30 ネーム マウス データ
31 水玉 眺め 替え
33 音符 ト音記号 作曲
35 あんみつ お汁粉 パフェ
36 よしあし 賛成と不賛成
37 ブイ 釣り具 救命具
38 エゾユキ アマミノクロ
39 微 単細胞 多様性

＊二重ワクに入った文字をA～Dの順に並べてできる言葉は何でしょう?

A
B
C
D

1	8		15	■	24		33	37
2		■	16	20		■	34	
	■	13	A		■	30		■
3	9		■	21	25	B		38
■	10		17	■	26		■	
4		■	18			■	35	
	■	14		■	27	31		■
5	11	C		22	■	32		39
■	12		■	23	28 D		■	
6		■	19			■	36	
7				■	29			

46 美女に化けるという
作●かばしさま

ヨコのカギ

1　魚介類や肉類、筍などを生で食べるために薄切りにした日本料理
2　顔に目や鼻や口が無い妖怪
3　着替えること
4　奈良公園の動物といえば？
5　怪我や火傷の痕などをきれいにしてくれたりする
6　取るに足りないヤツ
7　首がビヨ〜ンと伸びる妖怪
10　お正月に食べる魚の代表格
12　太宰治によると、富士山によく似合う
13　眉間によっていると不機嫌そうに見える
14　護身術で攻撃する
16　川で音をたてて豆をとぐ妖怪
17　美女に化けるという８本脚の節足動物の妖怪
18　心残りがあると引かれる
22　日没からしばらくの間
25　鍋の――にご飯を入れて雑炊にしよう！
26　音の調子
27　――の場合、明日の遠足は順延となります
28　どっちに行ったらいいのかな？　たぶんこっちの気がする！
29　先頭に立ってリードする人が振る

タテのカギ

1　あれ、木からちょうどいい椅子が生えてるぞ、ウッキッキー！
6　実の中のルビーのように真っ赤な粒々を食べる
8　円とかドルとかユーロとか
9　東北地方で口寄せを行う巫女
11　隙間が空かないようにピッタリとする
13　何を習うにも、まずこれが大事です
14　かえりみち
15　美しい衣服。もとは、あや織りの絹織物とうす織りの絹織物という意味
16　物と物のあいだ
17　お母さん、学校だけじゃ学び足りないので――に行かせてください
18　船乗りたちを恐れさせる妖怪
19　カレンダーだと左から２番目にあることが多いですね
20　歯と歯茎の際をしっかりみがいて――膿漏を予防しま

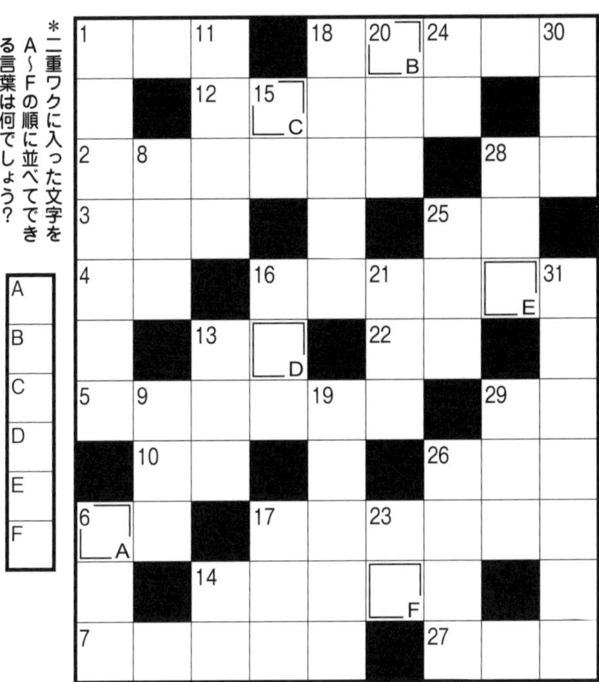
＊二重ワクに入った文字をA～Fの順に並べてできる言葉は何でしょう?
A
B
C
D
E
F

しょう

21　公演中は――の無い撮影は禁止です

23　家庭ではコーヒーを淹れるときなどに使う

24　英語で言うとワックス

25　英語で言うとゲームとかマッチとか

26　日本とか中国とかインドとかかを含む地域

28　美しい景色をパシャ！

29　議会や首相官邸のあるオランダの都市

30　こたつで食べる果物といえば？

31　細長い布のような妖怪

47 のどがかわいたので

作●SEIKO

➡ ヨコのカギ

1 エスプレッソ＋牛乳
2 つむじも台風も銀河系も
3 レモン果汁＋砂糖＋水
4 数珠を数えるときに使う言葉のひとつ
5 昔トックリ、今――ネック
6 松本清張の小説『――と線』
7 菌やウイルスや花粉を防ぐためにつける
9 釣瓶で水を汲みます
11 にぎったりノリで巻いたり
13 焼肉を――につけて食べた
15 ピザやハンバーガーに似合う炭酸飲料
16 ボウリングにおける溝掃除
17 人事異動の際にくだります
19 ――山は長野県と群馬県にまたがる活火山です
21 リベロが活躍する球技
23 果汁＋砂糖＋ソーダ
25 昭和の子どもはテレビの前でこれを巡って争いました
27 液体を滴々と垂らせる道具
29 海辺の旅館で海の――を存分に味わった
30 氷＋強めの酒
32 旧国名のひとつ。うしろに「かん」がつくとフルーツ
34 冷やし中華のピンク色担当
35 16進数で使うアルファベットのひとつ
36 ――のツルに茄子はならぬ
37 足を崩して――にしてくださいね

⬇ タテのカギ

2 ハワイの音楽によく使われる弦楽器
5 阪神ファンが好む模様
8 酒＋レモン果汁＋砂糖＋ソーダ
10 インド洋に吹く季節風
12 『銭形平次』や『遠山の金さん』の舞台となった地
13 穀物や豆類は植物のこの部分を食べます
14 ――不明金は何だか怪しい
15 ビールに求められるもの、――とキレ
16 自動車を停めておく建物
18 擬餌針ともいいます
20 マラソンや駅伝の見物人が沿道で振ります
22 花嫁がお色直しのときに変えるもの
24 建物は撤去しました
26 かぎの付いた細い針で編みます
28 賭場でこっそり不正行為
30 ↔ハイ

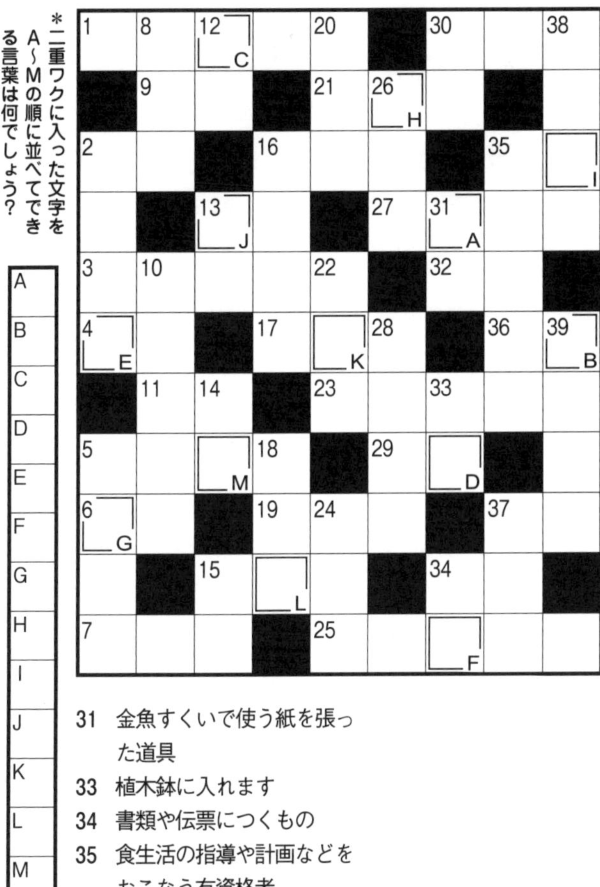

＊二重ワクに入った文字をA～Mの順に並べてできる言葉は何でしょう？
A
B
C
D
E
F
G
H
I
J
K
L
M

31　金魚すくいで使う紙を張った道具

33　植木鉢に入れます

34　書類や伝票につくもの

35　食生活の指導や計画などをおこなう有資格者

37　炭酸水＋甘味料など。→3が訛ったのが名称の由来

38　ハンド――　――ビール

39　遠足の荷物は両手が空くこれに詰めましょう

48 手も足も耳も

作●KGEC

➡ ヨコのカギ

1 集計したら足が出た
2 成長したら足が出た
3 土俵の外に足が出た
4 ミニをはき足が出た
5 はまらない発想はユニーク
6 細いおつまみの十本足
7 スピーカーの音が取り囲む
10 脳内辞書が充実してる
11 仏さまがまつられてる
13 利己主義者が押しつける
16 「やれ打つな蠅が手をすり足をする」と詠んだ
18 節をつけて声を出す
19 湾岸戦争で侵攻された
21 手も足も耳も尾も毛が黒い
24 ちょっとではない長い年月
27 売り物を倉庫から店先へ
29 力点は尻押しよりやや上に
30 ウソなネタは
32 結婚式や聖誕祭で鳴る
35 予定よりも長引いて
37 「ないよりは」によく続く
38 力士が土俵を足で踏む

⬇ タテのカギ

1 霊園も有名な東京都港区
4 大社も有名な長野県の市
6 場所や方向がひっくり返る
8 はまらない発想はユニーク
9 プラン通りに進めてく
12 他人に負担をさせない
14 ピアノの指で打つところ
15 黒船が浦賀へと
17 おのれに報いが戻ってくる
20 手に提げるのもある
21 見えてる範囲
22 足の袋と書く
23 外からは見えないあたり
25 お金を払って一夜を過ごす
26 お医者さんっぽい如来さま
28 相手の存在を無視して悪口
31 サウナ風呂的調理用具
33 セ氏に使うアルファベット
34 巡礼者が足を運ぶ
36 手も足もつけない僧の玩具
39 手に持って足の支えに使う
40 手も足もつけない伝統人形
41 手と足と反対側の手と足で
42 手も足も出ずにあきらめた

＊二重ワクに入った文字をA～Iの順に並べてできる言葉は何でしょう?

1	8	12 H	■	21	26	31		40
2			17	I			■	
	■	13		■	27		36	
3	9	■	18 G	22	■	32 D		■
■	10	14			28	■	37	41 C
4				■	29	33		
5 A		■	19	23				■
■	11	15 B	■	24	F	■	38	42
6			20	■	30	34	■	
	■	16		25			39	
7					■	35 E		

A
B
C
D
E
F
G
H
I

49 新人がいきなり

作●けんじゃ

➡ヨコのカギ

1 路線バスの運賃支払いで、車内で差し出すと断られることが多い
2 神社や寺院で、境内の舗装に使われていることが多い
3 先端に刃をつけた農具
4 最終目的地までの道中に、特定の場所を通ること
5 あだで返されると嫌だなあ
6 かずのこの母(?)
7 新人がいきなり重要な役回りに任命されたりすること
10 学生証の磁気部分などにあるデータを読み取る機械
13 キリストが生まれる前
14 やんごとなきプリンス
15 小生、本官、拙者、余など
17 内出血などで皮膚が変色してできる
19 聖書で、方舟を製作した人
22 バレンタインデーで、——チョコは本命以外に渡す
23 人々が寄り集まり住む場所
25 七夕では、——に願いごとを書いて笹に吊るす
28 打ち合わせなしの真剣勝負
30 トンカツやチキンカツにつけて、味の変化を楽しむ
32 大学にある文、理、医など
35 学校法人などで、取締役に相当する存在
36 質素な食事のことを、一汁一——ともいう

⬇タテのカギ

1 打ち切り漫画は、壮大なストーリーが途中で——になる場合も
5 連続しない短編をまとめた形式
8 水上でプカプカ漂うのに役立つ用具
9 持っている実力を、——なく発揮する
11 野球で、相手チームのエラーを敵——ともいう
12 100億×100億＝1 ——
13 テレビやラジオでの、収録開始の合図
14 物事が——から覆される
16 突き刺されているのはカツに限らないし、食べるときの調味料もソースとは限らない食べもの
18 ——袋は水はけがよく、袋栽培で使われることもある
20 探検隊の活動や、気象観測などの拠点
21 ちょんまげを切り落とした元武士の髪型

24　いちごを食べたあとに残った緑色の部分

26　ゼラチンや寒天などを使った半固形の食品

27　チームが――となって戦う

29　最近は省略されることも増えた、本人証明のツール

31　子どもでも買いやすい、安価なおやつ

33　特定のエリアに注目して、文化や人口、産業などを概観したもの

34　ありふれている。そんなことは――にある

35　内情を外部にばらす

36　経営者を補佐するために任命される役職

37　例えば、カレーに入れるチョコレート

38　上司と部下の関係を忘れて盛り上がるときの合言葉

50 頭上でのスペクタクル

作●はいカ・ドゥ・優さん

ヨコのカギ

1 皆さま、ようこそ本ページにお越しくださいました！とお出迎えされたりもするサーカスなどを見に来た人。「――、どうです？」「歓喜！　躍動です！」
2 全身ファイヤーまみれ
3 普通と違い、おかしな感じ
4 サーカスの目玉演目の１つ。公園の遊具とは違い、頭上でのスペクタクル！
5 コメディ。逆から読んでも
7 空中を意味するスキー競技。世界で活躍するサーカス団シルク・ドゥ・ソレイユで、上から垂れる長い布に体を巻いて行うパフォーマンスも同じ名前です
8 魔術師がまとうっぽい外套
10 積読の山を減らす趣味
14 積読の山の掃除や料理など
16 卵入りの麺やバーガー
17 足や歩行を表す幼児語
19 サーカスの目玉演目の１つ。波乱万丈の人生も形容？
21 万博
23 写真撮影OKですが、――は禁止。焚かないでね
25 土屋太鳳がNHK朝ドラの主演だとは。滅多にない！
27 映画撮影は、インで始まりアップで終了
28 ２人での組体操は、――に意思疎通しバランスを取る
29 舞台では演者間や客席とのやりとり。甘みは不要？
33 本番前に行われる。略さず言うと「ーサル」がつく

タテのカギ

1 恋愛や商売で大事な交渉。算数だと「×ー」(嘘です)
4 ひまわりのは太い
6 サーカスを盛り上げる道化の代表的存在。エロいこと言ったらピーと入れる(？)
9 路上を舞台として行われるジャグリングやファイヤーダンスなど
11 ドイツ語のA
12 電車のタダ乗り。禁煙車でやったら二重にNG？
13 腐った木。逆から読んだら鬼みたいなヒドい奴！
14 中米の海。――の海賊
15 ハッシュポテト→揚げる――ポテト→潰して作る
17 １つだったり純真だったりする地域。日本も含まれる
18 ブーツもスニーカーも

＊二重ワクに入った文字をA～Eの順に並べてできる言葉は何でしょう？
A
B
C
D
E

20　複数の演者や演目が融合し披露されるパフォーマンス。夢の──

22　世間に広まること。逆から読んだらシェイクする？

24　サーカスではCGと違って──の人間が躍動する姿を直接目の当たりにできる

26　舞うためのミュージック

28　演劇で昼の興行はマチネと言い、夜の興行はこう言う

29　マリア・──は有名なプリマドンナなのカァ

30　あいうえお→あ列
らりるれりらりるれりらりるれりり…→？？？

31　中谷美紀『MIND CIRCUS』や、さだまさし『道化師のソネット』など～♪

32　サーカスや体操で行われる。目指せ！ハイジャンプ

34　サーカスに登場することもある巨大猿ですゥホウホ

35　神に仕えし女性。時に運命や宿命を伝える

36　以上で、本ページでの公演は終了です。皆さま最後にパチパチと盛大な──を！

51 大と小がある
作●熊金照代

ヨコのカギ

2 電気クラゲにさされたときなどに走る
3 ――奮迅の大活躍
4 おにぎりの具にもなる鰹節
5 本物じゃない
6 洋食店で提供される米飯
7 些細な欠点。――さがし
8 写真の焼付けに用いる材料
10 しっくりしない、どこか変な気分
12 水中を漂って生きる浮遊生物
13 大名の住居兼軍事拠点を中心に栄えた市街
16 「私がやりました」と警察に出頭
19 応接間や居間などによく設置する長椅子
21 地形にも感情にもあるアップダウン
23 ――縁組して今日から家族
25 船舶の停泊する所
26 物事を的確に取り回す才能のある人。敏腕家
28 芝居の台本
31 人の作業をロボットに置き換えて人件費を削減したり
34 ツボを押すことで疾患などを治療する手技
36 武道家のとるスタンス
39 セールスポイント
41 品格を備えた優れた人物は高い
42 2つでひと組

タテのカギ

1 調子が上向くときに乗る
5 敵意をもって相対するも手は出さず膠着状態
9 追いこまれた末の大逆転
11 物語では中から魔神が出てくるものも
13 名を捨てて取るもの
14 坂東太郎や筑紫次郎など
15 食物を食べたときに口に残る繊維質
17 布地の模様
18 甲状腺ホルモンの成分として重要なミネラル
20 Rのつく月が食べごろかな
22 忘れちゃいけないあのころの気持ち
24 息つく暇もなく懸命に物事へ取り組む様子を表す四字熟語
27 カードキーだとコレはない
29 年末　年の瀬
30 物理学の世界では力×距離
32 かまどにくべて煮炊きする
33 姉妹――　――計画

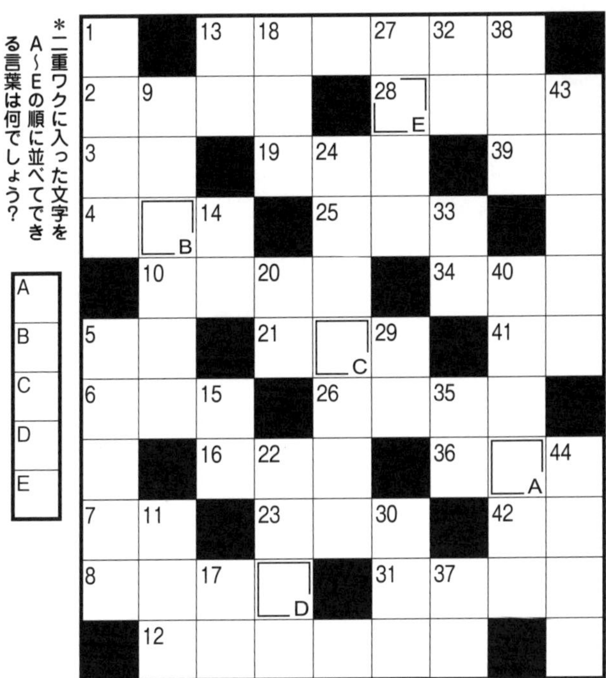
＊二重ワクに入った文字を
A～Eの順に並べてでき
る言葉は何でしょう？
A
B
C
D
E

35　イエメン渡来の珈琲豆

37　人知の及ばない、幸不幸の巡り合わせ

38　大と小がある消化器官

40　後悔しても手遅れ

43　医院　診療所

44　90度よりも小さくてとんがっている

52 甲乙つけがたい

作●松風

➡ ヨコのカギ

1 いわゆる大葉
2 道路の向こう側から来る
3 酷使した手のひらや足の裏にできる
4 隣にあるのは青い
5 漢字の読み方の一種。――読み
6 危険を予測して損失を抑える――マネジメント
7 心臓――　交通――
8 車の中を見られにくくするために貼る
11 時代の変わり目
14 天の川の正体
16 各地を転々とする――稼業
18 金のためなら何でもやる
20 修行したり供養したり
22 甲乙つけがたい状態
24 わらなどで作った雨具
26 ミュージシャンが全国を巡る
27 土地土地の博物館で紹介されたりする風習
29 言葉やダイヤなどが無秩序になった状態
31 種子島に伝来した
33 相手をおさえつける――的な態度
35 庭園からはみだす――の松
38 野球では後攻
40 節分のときに内に迎え入れられる
41 ――兵器　――戦争

⬇ タテのカギ

1 ――の交渉とは、課長や部長の承認を飛び越して社長に直談判するようなこと
5 木を飾ってケーキを食べてプレゼントを贈る
9 重荷に感じる
10 フランス発祥の休暇制度
12 靴――　真田――
13 大きなものだと交通➡7の原因にもなる
14 贈り物
15 陸海――
17 ざわざわ…
19 うったえてやる！
21 ハードディスクやUSBメモリにデータを貯めること
23 大鎌を持ってあの世に導く
25 気分がふさいでいる状態
27 旅の思い出を他の人にお裾分け
28 突いたり叩いたりして木や石を削る工具
30 時間的には２日後、空間的には見当違いの方向
32 英語の前置詞。～のそばに、

*二重ワクに入った文字をA～Dの順に並べてできる言葉は何でしょう?
A
B
C
D

～を使って、などの意味

34　影武者もこの一種

36　──丼　豚──

37　母親も鼻が長い

39　アニメに声を入れる方法の一種

41　大手を振って道を行く

42　音楽や演劇の古典的名作

43　グルメな人

53 朝の至福

作●茶の湯

➡ ヨコのカギ

1 球を受け損なって
2 忘れたときのために
3 スマホやパソコンにダウンロードして役立てる
4 ――まわり　――振り
5 18H全てこれの夢を見た
6 オフの朝の至福
7 はずれ
8 面倒くさいから読まない
11 セットで後悔がついてくる
13 ハンガリー舞曲などを作曲
15 からの一言が余計だったり
17 歌劇　チョコレートケーキ
18 ――の休日
19 なぜ鳴くのか聞かれ「勝手でしょ」と返すことも
21 買いだめに走る
23 はまって抜き差しならぬ
26 八村塁がダンクで決める
28 北大西洋条約機構
29 ――ケア　メンタル――
31 酒のは奈良漬に使う
33 洋菓子作りでよく使うお酒
34 漁網に付けて浮かばせる
35 ・

⬇ タテのカギ

1 マザー・テレサのを煎じて政治家たちに飲ませたい
5 シンポジウム参加の論客
9 ウナギの――吸い
10 薬として効く成分は入ってない
12 マタギの生業
13 石川県の郷土料理の蕪鮨(かぶらずし)に使う
14 囲碁の異名
16 弦楽四重奏で使用する楽器の1つ
18 走ってはいけません
20 対向車に気をつけて
22 最後に運転したのはいつだったか
23 演奏には四肢を駆使
24 口
25 財宝はここと地図につける
27 土俵ぎわの席は――かぶり
29 おかしいぞ　あやしいな
30 石鹸の普及よりも昔、袋に詰めて体を洗った
32 投擲競技などでの試技
35 「江戸川乱歩」はこの人の名の振り
36 なぜか独裁者が好む
37 八村塁　渡邊雄太

1 B	9		16	■	23		30	36
2		■	17	22 A		■	31	
	■	13				27	■	
3	10		■		■	28	32 C	
4		■	18		24	■	33	
■	11							■
5		■	19			■	34	37
6	D	14	■		■	29		
	■	15	20		25		■	
7	12	■	21		F	■	35	
8				■	26			E

＊二重ワクに入った文字をA～Fの順に並べてできる言葉は何でしょう？

A	B	C	D	E	F

54 商売上手少女繁盛記

作●あるかり工場長

➡ ヨコのカギ

1 少女「マッチいかがですか、今ならこんなにお得で…」紳士「…じゃあ買おうか。しかし上手く乗せられたな」
2 少女「損益分岐点に届かず」
3 食事ではフタで閉じられる
4 柔道整復術で脱臼等を治療
5 少女「マッチを擦ったら、火炎に美味しそうな幻影が」
6 少女「良いマッチの仕入れに父親パワーを利用したわ」
7 紳士「今日も買いに来たよ」
8 親になり利用する――休暇
10 少女「製造元でなく販売者が売り値を自由に設定する」
13 少女「平日に比べて客足が伸びるなぁ。さすがは土日」
15 少女「細かくチェックしよ」
17 少女「このマッチの――は着火しても煙が少ないこと」
18 仕立屋さんでの裁縫が仕事
20 人前に現れた神仏悪魔の姿
21 愛人と別れる太宰治の小説
22 チャイルドが２人以上いる
26 少女「防犯カメラで録画中」
27 ナイショの命令で来ました
28 ドメスティックルール文言
30 図形や空間を学ぶ数学分野
31 店のない人が商売する道端

⬇ タテのカギ

1 少女「マッチを擦ったら、火炎に鰻と梅干しの幻影が」紳士「これが良くないような組み合わせだな。あ、2文字目はミじゃないぜ！」
5 公取委が取り除くかたより
9 イタリアの大衆歌謡や民謡
11 浦島太郎の腰にある魚入れ
12 神社における組織の代表者
14 コンセントと本体をつなぐ
15 肉や魚料理に用いるハーブ
16 少女「他に――をみないな」
17 少女「口元に少しオシャレ」
18 あとは捨てるだけのオイル
19 少女「マッチの販促のため需要や価格動向を調べます」
23 少女「色々と苦労しました」
24 丸　カギ　角　波　隅付き
25 ツユに入る前のソバが乗る
26 花粉でこれを発症する人も
27 源氏物語開始時は桐壺さん
28 少女「持ち合せがなくてもこちらでお支払い可能です」
29 高貴な人の立派な大きい家
30 少女「このマッチを売ればマージンをお渡ししますよ」
32 害獣ビビらせ追い払い装置
33 商才を発揮して財を成した少女の事績を記録して出版

＊二重ワクに入った文字をA～Dの順に並べてできる言葉は何でしょう？

A	B	C	D

1		12	16	19	■	26	29 [A]	32
	■	13			23			
2	9		■	20			■	
3	[B]	■	17			■	30	
4		14			■	27		
■	10				24			■
5			■	21				33
6		■	18			■	31 [D]	
	■	15 [C]			■	28		
7	11				25		■	
8			■	22				

55 意外と人間的

作●モンチー

➡ヨコのカギ

1 王様の野菜という異名を持つ、粘り気のある野菜
2 結婚祝いなどに添える
3 都市や学校にもある血縁関係
5 テニスや卓球で両者が粘るほど続く
6 窯の内壁に貼り付けて焼き上げるインドのパン
7 1カ月の終わりの日。みそかとも読みます
8 鰻の蒲焼きとキュウリをさっぱり和えた料理
11 ⇩4の味付けや⇩33のつけ汁など、万能な調味料
13 悪い夢を食べるらしい
14 2000年生まれの赤ちゃんは――ベイビーと呼ばれた
16 ラーメンのスープを煮込んだりする大鍋
18 話が――にそれる
20 リッチの反対。――な発想
22 ――パウダー　エビ――
23 子供の長い名前を最後まで粘り強く聞く、という落語
25 野球で打者が粘るほど、3つめが取れない
27 鎌倉時代の緊急連絡網として使われた
29 チャーハンやラーメンにかけたら別のメニューに
30 冬の朝はずっとくるまれていたい
31 元素表では窒素とフッ素の間
32 落ち葉や生ごみを土壌改良に活用
34 吊り下げておいてバチで鳴らす、円盤形の楽器
36 目に涙を浮かべたり笑ったり、意外と人間的

⬇タテのカギ

1 厳密にいうと定規とはちょっと違います
4 昔ながらの方法で発酵させた大豆食品。パック詰めではなく…
9 コーヒーフィルターもこれの一種
10 ――知識　ひよこ――
12 お医者さんを青くする果物
13 細長いパンで作る、ベトナムのサンドイッチ
15 スープや酢の物がおいしい、粘り気のある海藻
17 ワケあり＝――付き
19 仲間や配偶者など、同伴者を大雑把に総称して
20 ――体の過剰摂取で痛風に

＊二重ワクに入った文字をA～Dの順に並べてできる言葉は何でしょう?

A
B
C
D

1	9		17	21	■	30		37
2		■	18		26		■	
	■	13		■	27	A	33	
3	10 B		■	22		■	34	
■	11		19		■	31		
4	■	14			28		■	
5	12		■	23			35	■
6		■	20		■	32	C	38
7		15 D		■	29		■	
	■	16		24		■	36	
8			■	25				

21 こんなミスをするとは俺も――が回ったな

22 アルジェリアとリビアの間に位置する国

24 人を威圧するような――の効いた声

26 侵入者が来ないかよく監視

28 姿焼きで食べたい淡水魚

29 ⊖25が３つでこれになる

30 専門店がいちばん、というとき引き合いに出される

31 もち米を詰めた丸鶏で作る、韓国の薬膳スープ

33 踏んだり寝かせたり、生地に粘り気を与えて強いコシを出す麺

35 人の手を加えないという道教の思想。――自然

36 自分の子どもから見れば従兄弟にあたる

37 42.195kmを粘り強く走りきる

38 ハンバーグを作るときは粘り気が出るまでこねましょう

56 ののののののののの

作●おく山みつゆき

➡ヨコのカギ

1 ■■■■緊急告知■■■■
予定通りに仕入れができず、「の」以外の手持ちの平仮名をもうすぐ使い果たしてしまうため、以下のヒントの平仮名はすべて「の」で代用させていただきます。大変申し訳ございません。ところで、このようにモノの在庫の尽ののコトの——の言ののの
2 雨の日の彼の隣の居の！
3 魚の付ののコイ、獣の付ののタヌキ
4 自由の奪の象徴
5 見渡の限の真の白の！
6 ののパン　枕　洗の妖怪
7 足の裏の至の所の在の
8 イデア論の提唱のの哲学者
11 赤兎馬のディープインパクト
14 ×「個性的の味ののの…」 ○「不味の！」
15 図々のの奴の、厚の
17 他人のの高値の付のの争の
19 骨董市の安の入手のの珍品
21 バーのソースののの
23 山彦の跳の返の
24 放送の電波の乗の
26 任侠映画のの、大抵痛の事ののの、——の付のの
28 回転のの材料の切の。形の⬇13の似ののの
29 答のの導の手掛のの
30 収納ののののの部屋
33 「悪——の又——のの」
35 不要の書類の婚約の——

⬇タテのカギ

1 西日本の東京のの、今日の５月10日ののの場合、５月13日の
5 参のののの…私の負のの…
9 チェスの変の動の方ののの
10 浪人の夫婦のライダーの被の
12 怠の者の別名
13 回転のの動力の伝のの。形の➡28の似ののの
14 縄文の弥生の時代の道具。ダサの訳ののののの
16 落の着の！　——の話の合のの！
18 ９の近のの勝のの賭博
19 回のの挟のの違の駒の全部使の——将棋
20 姓の名の酷似のの有名の科学者の「名」
22 放課後ののの、のの帰宅の許のののの

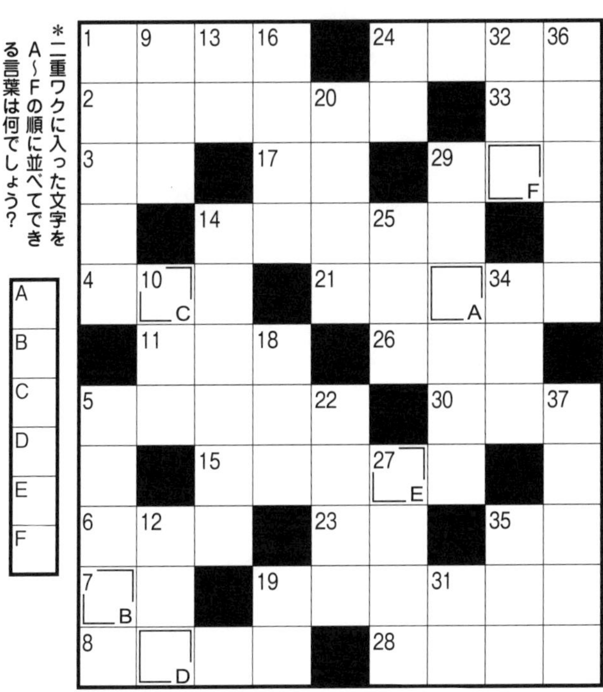
＊二重ワクに入った文字をA～Fの順に並べてできる言葉は何でしょう？
A
B
C
D
E
F

24 県のの知事、省のの大臣

25 色気のの――

27 博多ラーメンのののＯＫのの、受験ののダメの！

29 手強の相手の――のの行ののの

31 他人の利用のの甘の――の吸の

32 『ののののののののの』『のののののの』『のののののの』『100万回生のののの』等の有名

34 三角柱の四角錐の――体

35 包丁ののキャベツのの

36 ⊖33の守のののの連中

37 テング、カエン、オオワライ等、食ののの最悪死の

57 歴史を訪ねる

作●真良碁

ヨコのカギ

1 1993年に世界遺産に登録されました。主な建造物は国宝に指定されています
2 1896年竣工の日本銀行本店の本館は、上から見るとこの漢字の形をしています
3 昭和天皇は62年余、エリザベス女王は70年余
4 日本ではいちど絶滅した鳥
5 港の地図記号はこの形です
6 菅原道真が左遷されたところ。のちに天満宮が創建されました
7 正倉――　平等――　知恩――
9 甲と丙の間
11 後生――　――の前の小事
12 おもに女性が着ます。シャツとどこが違うの!?
13 出家して僧や尼になること
15 １辺2.3cmの小さな国宝。後漢の皇帝に賜ったもの
17 17世紀に建てられた絢爛豪華な国宝。世界遺産「日光の社寺」に含まれます
19 前もって整えておくこと
20 フリー――　ゴール――　――ボクシング
22 祭祀に使われたとされる弥生時代の金属器。発掘されて国宝になったものも
26 集まって話し合います
27 豊臣家の家紋の意匠に用いられている植物
28 殿様の補佐役。疲れすぎに注意!?
29 出世魚の代表。若魚は「ワラサ」などと呼ばれます
30 ――主　名――　暴――
31 勇敢で力のある人

タテのカギ

1 最澄が開いた天台宗の聖地。世界遺産「古都京都の文化財」に含まれます
4 時刻をみんなに教えるための高い建物。札幌のこれは、1878年に完成
8 能ではつけますが、狂言ではあまりつけません
9 後鳥羽上皇や後醍醐天皇が流された島
10 富士山も浅間山もこれ。噴火したら大変
11 奈良のは８世紀、鎌倉のは13世紀の造立。ともに国宝に指定されています
13 厳島神社では海の中に立っています
14 死に臨んで残す言葉や詩歌

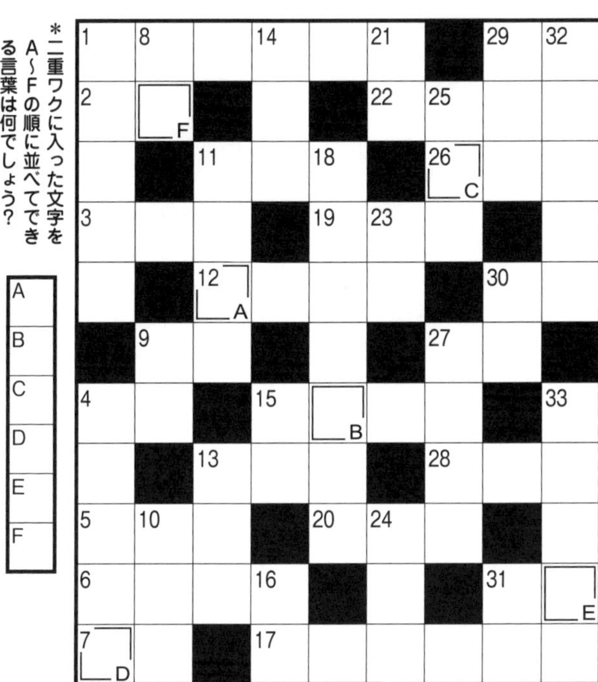

＊二重ワクに入った文字をA～Fの順に並べてできる言葉は何でしょう？

A
B
C
D
E
F

15　天皇家の家紋の意匠に用いられている植物
16　授けること
18　世界でも最古級の焼き物。岡本太郎がその芸術性を高く評価しました
21　東京でよく栽培されている野菜。大木になる!?
23　餅を搗くときに使います
24　春に渡ってくる鳥。特急列車の愛称にもなっています
25　鳥に魚を獲らせます。長良川や肱川が有名
27　足利義満が建てた豪華な建て物。焼失・再建したため、国宝ではありません
29　清水寺のこれは壮観です。飛び降りたくなるかも!?
30　寺院の台所。瑞巌寺や妙法院のこれは国宝です
31　３月３日は――の節句
32　柳沢吉保が造った庭園。特別名勝に指定されています
33　空海が開いた真言宗の聖地。世界遺産「紀伊山地の霊場と参詣道」に含まれます

58 言祝ぐ歌

作●静山怒

➡ ヨコのカギ

1 “不朽の”がいわば定冠詞
2 風吹けばネズミが齧る
3 ちょっと遠くへお引越し
4 折衷は東西文化の融合
5 空飛ぶ木綿の長さの助数詞？
6 転ぶはお下手な子はお上手
7 八千数年の在位を言祝ぐ歌
10 ヒソヒソというオノマトペ
11 理由は寝坊渋滞確信犯など
12 基礎単位の1/1000を示すm
13 可愛い我が家の息子の子
15 麺もパスタも原料はこれ
17 一寸先にある鴉の隠れ場所
20 滅相もない本当遠慮します！
21 焼き物は陶磁器、塗り物は？
22 エンゲル係数にひびく出銭
23 宿られた正直者「頭に来る」
24 多分クジ運良しの記載あり
25 黄色いうちは半人前
27 個人情報のいの一番
29 公立小中学校のテリトリー
30 分銅のストラップで武器に
31 毒のついでに喰らう食器

⬇ タテのカギ

1 注連縄で結ばれたカップル
5 旨いものをあちこちハシゴ
8 蛙は飛び込み団栗ははまり
9 男に限りふりかかる災厄
11 一秒を一生続けてケガ防止
12 食後名前を忘れがちな薬味
14 水はないが検疫の水際施設
16 酢飯を意味する鮨屋用語
18 ➡7の中の1ミレニアム
19 蛇蝎の保有するバイオ兵器
20 節季　六曜　年中行事
21 四方が岸の土地
22 嬴政(えいせい)が建てた『キングダム』
23 見舞の金時が馬鹿力を発揮
24 揃いの縞服でブレイク！
26 ドテッ腹に喰らうと転覆も
28 平均寿命クリアが目安？
30 少しだけ髪が伸びる機械
31 読むたび匹数を誤魔化され
32 迷信で出生率が下がる干支
33 早口言葉などでの準備運動

＊二重ワクに入った文字をA～Eの順に並べてできる言葉は何でしょう？

A
B
C
D
E

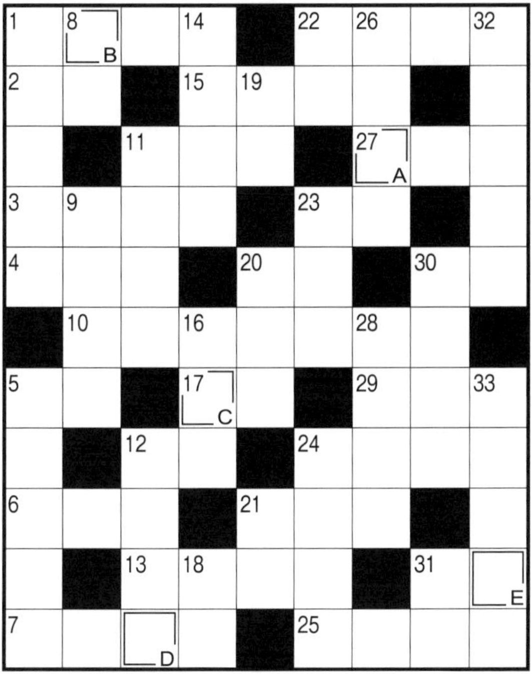

1	8 B		14	■	22	26		32
2		■	15	19			■	
	■	11			■	27 A		
3	9			■	23		■	
4			■	20		■	30	
■	10		16			28		■
5		■	17 C		■	29		33
	■	12		■	24			
6			■	21			■	
	■	13	18			■	31	E
7		D		■	25			

59 鐘が鳴り続ける

作● A（C）

➡ ヨコのカギ

1　爆発までの距離と時間をコントロールする
2　出家する＝――に入る
3　妥協はしたくない
4　力士が組み合った状態
5　エンジンやモーターがオーバーヒートする原因
6　食べるものを調理する道具
7　弾性体や圧電素子の周期的なふるまい
8　シチュエーションに応じて左右を使い分ける人も
11　陸生の甲殻類。木登りもできる
14　ストーキングの一例
16　食玩では今や主役の風格
20　弁当やワンプレートが便利
22　一眼レフカメラの価格の、消費税やレンズは含まない部分
24　えっ、もう時間？　いやまだ5分前
25　たくさんの鐘が鳴り続ける
26　もう1回かけてみよう。さっきは話し中だったから
27　アラームを止めても、またしばらくして鳴りだす
30　ま………だ………や………ま………な………い
31　旗を持つ人　馬に乗る人　生まれの良い人
33　タツノオトシゴの――は、オスの腹から生まれる
35　ハンカチ　ナプキン　おしぼり
37　病気や性交の婉曲表現に使う
39　1％の1/100

⬇ タテのカギ

1　人は歩けるが車両は走れない。地元密着、利益誘導型選挙のたとえ
4　古墳時代後期の石室の形。墳丘が小さくなり、追葬や装飾壁画が可能になった
9　後ろ向きな姿勢で日々を過ごす
10　前向きな姿勢で水上を進む
12　食べたものを排泄する先
13　卵生の哺乳類。原始的とされるが、生きのびる能力はヒトよりもたけている
15　蛇が蛞蝓に送ると面白そう
17　桜並木がよくあるのは、たくさんの人を通らせて土を固める効果があるから
18　戦国時代が終わり権力が世襲化すると、仏教の重点は現世利益や極楽往生などか

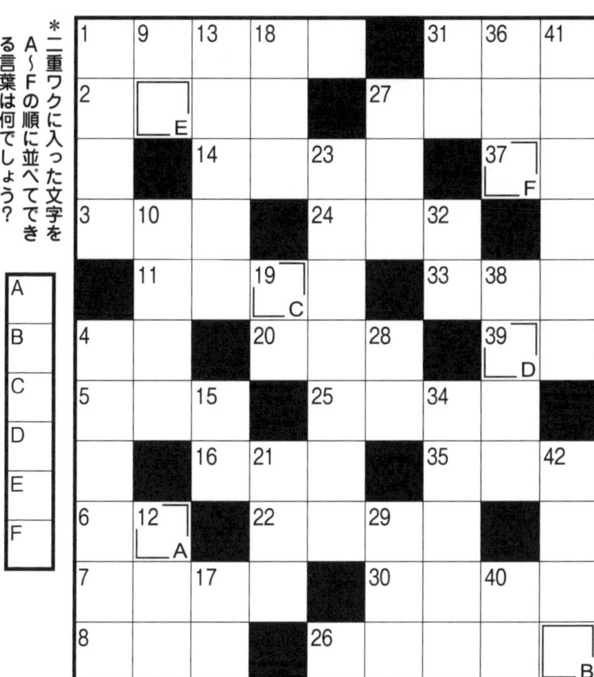
＊二重ワクに入った文字をA〜Fの順に並べてできる言葉は何でしょう？
A
B
C
D
E
F

ら――供養に転じた

19 スープになる

21 この術を会得したならば、そなたはとこしえに湯を熱いままになせるであろう

23 麻薬や覚せい剤と同じく、官僚が一度手にするともうやめられない

27 宝塚歌劇といえばこの植物

28 銅、硝石、サーモン、リチウムといえば

29 畔が等高線をトレース

31 サヤエンドウや豆腐をなぞらえる

32 ヒト、モノ、カネ、情報が集まって行き交う場所

34 時間外労働の原因になる

36 自動車などの座席。サッカー場のベンチに流用されたりもする

38 スペイン語で文頭と文末の両方に点対称で付くことも

40 デニムの//////
ヘリンボーンの<<<<<<

41 九州特産の香辛料。柑橘の香りで味わい深く

42 こぶのある家畜

60 光り輝く今宵

作●遠藤郁夫

➡ ヨコのカギ

1 提出書類や相談者を待ち受ける関門
2 理系がドイツ語で言う「コロイド溶液」なんです
3 短いがちょっとしたお話
4 あちこちの観光名所を巡るお楽しみ
5 咳や痰に効く中国原産の薬草。別名は編笠百合
6 金剛峯寺・醍醐寺など大寺の住職の公称
7 フロリダ州の亜熱帯気候の海岸保養都市
9 中国製四字熟語で、明るい瞳と白い歯イコール美人
11 平安京内裏の襲芳舎の別名
13 室町時代、守護や荘園勢力に歯向かう、在地の土豪たちの武装蜂起
14 目立つセールスポイント
16 味わいを深める添えもの
19 独自のフォービスムを貫いたフランスの画家。『ヴェロニカ』『悪の華』
22 居住環境を変えて、モチベーションを上げる一手段
24 ビッグでラージでグレートな超弩級の人
26 趨勢、傾向。流行先取り業界が把握に躍起
28 比叡山の三塔の一。根本中堂の北の首楞厳院(しゅりょうごんいん)が中心
29 仏教世界で最も尊い人。釈迦牟尼の名号です
31 医師と画家の守護聖人。使徒行伝と――福音書の執筆者とされる
33 女房詞で酒あるいは大角豆

⬇ タテのカギ

1 被虐が快感の人。例：寒中水泳参加者
3 クストーが共同開発した、潜水用の水中呼吸器。――ダイビング
6 もと八王子街道の宿場町。米陸軍の基地もある
8 ケルト語で卓石。数個の自然石に天井石を載せた墳墓
10 消化管の袋状の主要部が、下側に変移している状態
12 権謀術数に富む、倒幕運動の朝廷側の中心人物。明治４年、米欧視察団を統率
15 天然記念物の小さい鶏。短足が特徴
17 忍びがたき苦しみを忍ぶ
18 尾張国愛知郡にあった、東海道五十三次の宿場町
20 超能力者説がある、真言宗

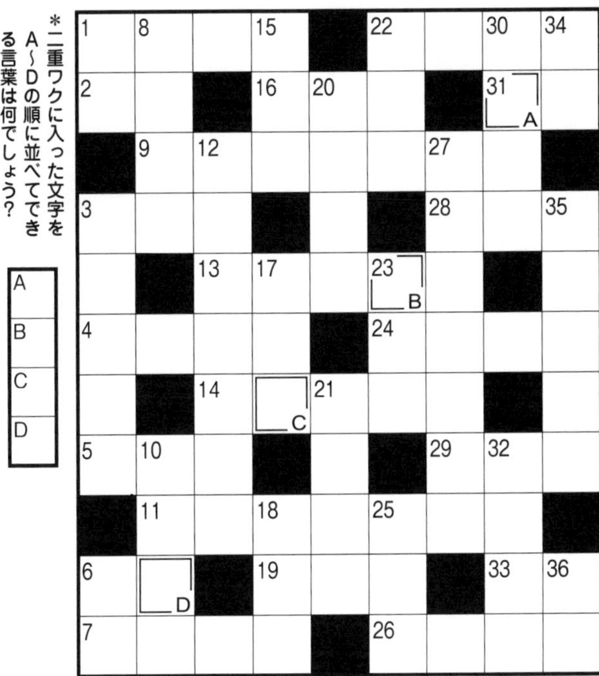
＊二重ワクに入った文字をA～Dの順に並べてできる言葉は何でしょう？
A
B
C
D

を開いた讃岐の人

21　役者を洗脳する台本

22　鬼道で統治した古代日本のカルト女王

23　アルテミスが光り輝く今宵

25　教室に携える紙製品

27　カーブにスラローム、素直に進めぬ四字熟語

30　ナポレオンを産出した島

32　大分・宮崎の県境にあり、豊玉姫を祀る標高1756m

34　花札で萩に猪、牡丹に蝶、紅葉には——

35　『魏志——』に、⇩22の紹介記事があります

36　加虐が快感の人。例：寒中水泳主催者

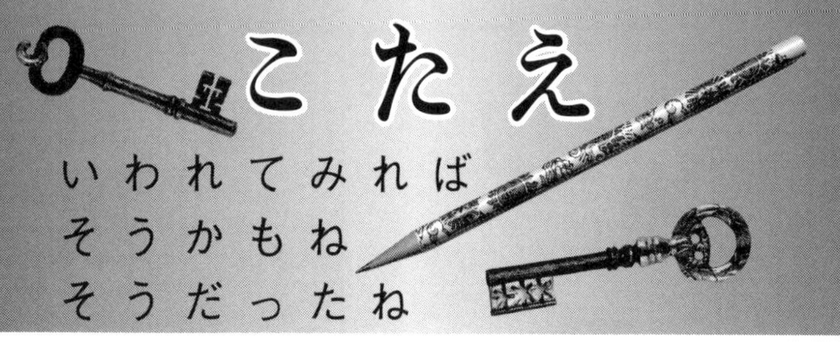
こたえ
いわれてみれば
そうかもね
そうだったね

1

イ	チ	バ	ン	ノ	リ	■	ウ	**キ**
■	カ	**タ**	■	ウ	リ	フ	タ	ツ
ス	テ	ー	ジ	■	ツ	**リ**	ガ	ネ
ミ	ツ	■	カ	シ	■	ダ	イ	■
レ	■	セ	ビ	**ヨ**	ウ	シ	■	セ
■	カ	イ	■	テ	ツ	■	コ	**イ**
ア	シ	**コ**	シ	■	シ	タ	ガ	キ
イ	キ	ウ	ツ	シ	■	**ウ**	ラ	■
チ	リ	■	ギ	ン	コ	ン	シ	キ

キリコミタイチヨウ

2

タ	コ	■	ア	サ	ツ	キ	■	デ
ビ	**ジ**	レ	イ	ク	■	ヨ	ツ	**ユ**
ジ	セ	ン	■	ジ	ヨ	ウ	マ	エ
■	イ	■	キ	ヨ	■	ゾ	■	ツ
カ	ゴ	カ	キ	■	ツ	メ	ア	ト
ル	■	タ	■	シ	バ	■	ン	■
シ	ヤ	ク	シ	ヨ	■	ク	モ	リ
ウ	ネ	リ	■	ア	ソ	ビ	**ニ**	ン
ム	■	コ	ブ	ク	ロ	■	ア	ゴ

ニジユウ

3

ア	シ	■	ス	イ	ジ	**ヨ**	ウ	キ
ス	イ	ハ	ン	■	ツ	メ	■	ス
リ	**ン**	ク	■	カ	テ	イ	ホ	ウ
ー	■	バ	ケ	ツ	■	リ	**ク**	■
ト	コ	■	ア	**ソ**	ビ	■	ト	ラ
■	**ク**	ニ	■	ウ	ル	シ	■	ン
ツ	ウ	ガ	ク	ロ	■	ミ	**ゼ**	ニ
バ	■	ウ	カ	■	シ	ン	ブ	ン
サ	ン	**リ**	ン	シ	ヤ	■	ラ	グ

ゼンソクリヨク

4

イ	タ	マ	エ	■	タ	キ	ツ	ボ
コ	**ン**	ブ	■	ダ	ビ	■	ク	**ウ**
ー	■	タ	グ	イ	■	コ	シ	ヨ
ル	ビ	■	ラ	フ	テ	**ー**	■	ミ
■	ザ	イ	タ	**ク**	キ	ン	ム	■
ウ	■	**バ**	ン	チ	ヤ	■	ジ	フ
ヤ	ワ	ラ	■	ヨ	ク	イ	■	エ
ム	ギ	■	ノ	ウ	■	カ	**ヘ**	イ
ヤ	リ	ク	リ	■	ヤ	ク	ソ	ク

バウムクーヘン

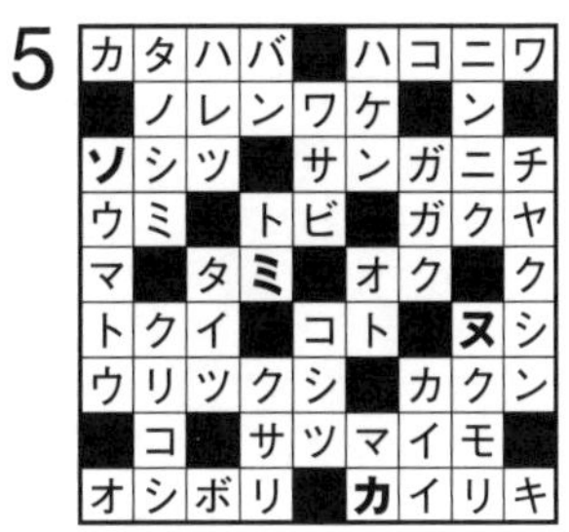

5

カ	タ	ハ	バ	■	ハ	コ	ニ	ワ
■	ノ	レ	ン	ワ	ケ	■	ン	■
ソ	シ	ツ	■	サ	ン	ガ	ニ	チ
ウ	ミ	■	ト	ビ	■	ガ	ク	ヤ
マ	■	タ	**ミ**	■	オ	ク	■	ク
ト	ク	イ	■	コ	ト	■	**ヌ**	シ
ウ	リ	ツ	ク	シ	■	カ	ク	ン
■	コ	■	サ	ツ	マ	イ	モ	■
オ	シ	ボ	リ	■	**カ**	イ	リ	キ

ヌカミソ

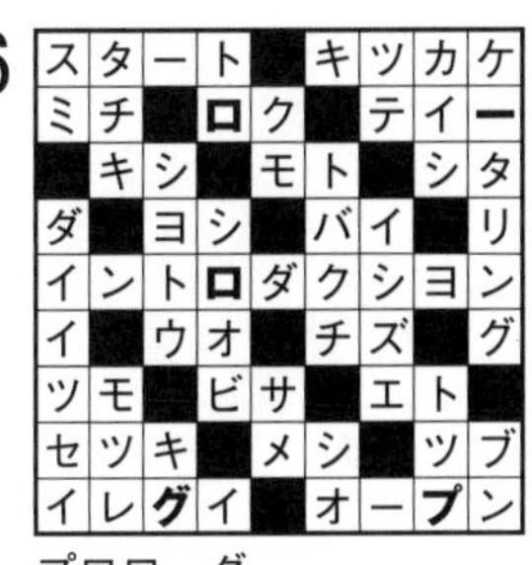

6

ス	タ	ー	ト	■	キ	ツ	カ	ケ
ミ	チ	■	**ロ**	ク	■	テ	イ	**ー**
■	キ	シ	■	モ	ト	■	シ	タ
ダ	■	ヨ	シ	■	バ	イ	■	リ
イ	ン	ト	**ロ**	ダ	ク	シ	ヨ	ン
イ	■	ウ	オ	■	チ	ズ	■	グ
ツ	モ	■	ビ	サ	■	エ	ト	■
セ	ツ	キ	■	メ	シ	■	ツ	ブ
イ	レ	**グ**	イ	■	オ	ー	**プ**	ン

プロローグ

7

ア	セ	■	キ	ユ	ウ	カ	ン	ビ
イ	■	シ	モ	バ	シ	ラ	■	ネ
コ	ウ	**コ**	ツ	■	ロ	**ツ**	コ	ツ
■	ミ	ミ	タ	ブ	■	ユ	ウ	■
ユ	ビ	■	マ	イ	ク	■	ト	チ
■	ラ	テ	■	ジ	ツ	ド	ウ	■
エ	キ	**チ**	カ	■	シ	**ノ**	ブ	エ
ス	■	ガ	ン	シ	ヨ	ウ	■	ガ
ハ	カ	イ	シ	ケ	ン	■	ホ	オ

ツチノコ

8

オ	チ	■	シ	ヨ	ウ	キ	ヨ	■
リ	**ユ**	ウ	コ	ウ	■	エ	フ	デ
メ	ウ	ツ	リ	■	カ	ン	カ	**ツ**
■	シ	ブ	■	カ	リ	■	シ	サ
ウ	■	セ	イ	**ジ**	ヤ	ク	■	ン
タ	カ	■	シ	ン	■	ウ	エ	■
イ	ザ	カ	ヤ	■	シ	ホ	ン	カ
テ	ハ	イ	■	ヒ	ヨ	ウ	**ゲ**	ン
■	ナ	ガ	バ	ナ	シ	■	キ	ジ

ゲイジユツ

9

ハ	ツ	コ	ウ	■	シ	ロ	ア	ト
ン	■	**ト**	キ	メ	キ	■	サ	オ
ケ	マ	リ	■	ダ	イ	ス	■	ボ
ツ	カ	■	ゲ	カ	■	**パ**	フ	エ
■	ロ	ウ	ヤ	■	シ	イ	ラ	■
ポ	ニ	**ー**	■	ト	ソ	■	ス	ギ
ケ	■	ル	ビ	ー	■	ミ	コ	シ
ツ	バ	■	ジ	ン	セ	ン	■	ヨ
ト	チ	カ	ン	■	ワ	**カ**	ゾ	ウ

パトカー

10

ハ	ダ	■	**ボ**	ウ	サ	■	ヨ	**カ**
イ	イ	ワ	ケ	■	カ	ミ	ガ	タ
ユ	■	ダ	■	バ	ナ	ナ	■	ー
ウ	チ	イ	ワ	イ	■	モ	デ	ル
■	エ	■	ナ	オ	レ	■	ア	■
エ	ス	テ	■	リ	ツ	タ	イ	**シ**
イ	■	ジ	**ロ**	ン	■	ニ	■	ヨ
ヨ	ノ	ナ	カ	■	キ	ン	ニ	ク
ウ	ミ	■	シ	ジ	ミ	■	シ	ジ

ロウカボウシ

11

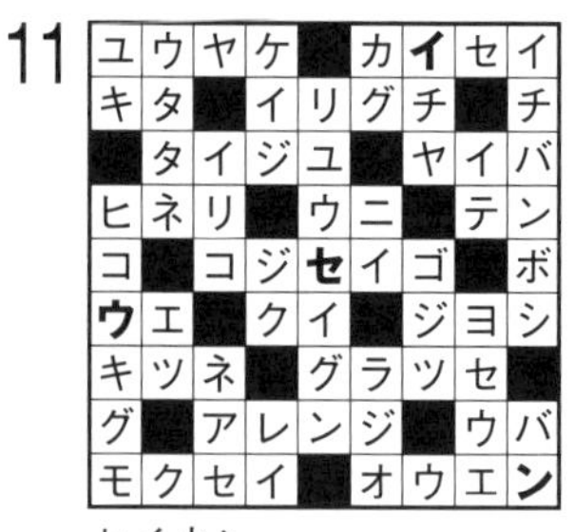

ユ	ウ	ヤ	ケ		カ	**イ**	セ	イ
キ	タ		イ	リ	グ	チ		チ
	タ	イ	ジ	ユ		ヤ	イ	バ
ヒ	ネ	リ		ウ	ニ		テ	ン
コ		コ	ジ	**セ**	イ	ゴ		ボ
ウ	エ		ク	イ		ジ	ヨ	シ
キ	ツ	ネ		グ	ラ	ツ	セ	
グ		ア	レ	ン	ジ		ウ	バ
モ	ク	セ	イ		オ	ウ	エ	**ン**

セイウン

12

カ	イ		ソ	ウ	ベ	ツ	カ	イ
マ	ツ	**チ**	ン	グ		**ヤ**	サ	イ
	サ	チ		イ	ワ		ク	ダ
ム	ク		**カ**	ス	タ	ム		シ
シ	ヤ	シ	ン		ア	キ	シ	**ツ**
ヤ		オ	リ	ヒ	**メ**		オ	ペ
ブ	シ		カ	ヤ		ジ	ヒ	
ル	ー	**ツ**		ア	コ	**ヤ**	ガ	イ
イ	ツ	キ	カ	セ	イ		リ	**チ**

シツチヤカメツチヤカ

13

ヒ	デ	リ		ケ	サ	**ガ**	タ	メ
ワ	**コ**	ン	ヨ	ウ	サ	イ		ン
	レ		ク		ツ	ラ	ア	テ
オ	ー	ト	バ	イ		イ	オ	
イ	シ		リ	**ツ**	カ		イ	ス
	ヨ	ク		テ	ギ	レ	キ	ン
イ	ン	チ	キ		ヨ		ト	
デ		カ	ン	ト	ウ	ヘ	**イ**	ヤ
ア	カ	**ズ**	キ	ン		マ	キ	シ

ズガイコツ

14

ハ	**コ**	ネ	ヨ	セ	ギ	ザ	イ	ク
カ	コ		コ	ナ		ブ		タ
タ	ロ	ウ		カ	ブ	ト	ガ	ニ
	イ	**エ**	ス		ラ	ン		ヤ
ワ	キ		リ	ボ	ン		オ	**キ**
ジ		コ	ア		コ	**ド**	モ	
マ	メ	チ	シ	キ		ロ	バ	タ
ヌ		ヨ		ジ	カ		シ	ン
リ	ユ	ウ	キ	ユ	ウ	ガ	ラ	ス

エドキリコ

15

カ	ツ	シ	カ	ホ	ク	サ	イ	
ワ	ル	**ツ**		ド	ル		**ナ**	カ
バ		ソ	フ		ト	ゲ		ク
タ	タ		ジ	ブ	ン	カ	ツ	テ
ヤ	ヌ	シ		カ		イ	ラ	イ
ス	キ	ン	シ	ツ	プ		ラ	シ
ナ		ミ	ヨ		ロ	ハ		ン
リ	**ア**		セ	シ		**マ**	ナ	コ
	ブ	ラ	ツ	ク	ジ	ヤ	ツ	ク

アマナツ

16

ツ	イ	タ	チ		サ	イ	シ	ヨ
ユ	キ		エ	**ト**		チ	ヤ	**ボ**
ハ	ジ	メ		コ	ト	バ		ウ
ラ		ス	イ		リ	ン	ジ	
イ	ド		ト	ツ	プ		ヨ	タ
	ア	マ	グ		ル	フ		チ
コ		ク	チ	ク		チ	エ	ア
ウ	エ	ア		**ウ**	デ		ジ	ガ
シ	ン	キ	ヨ		カ	ワ	キ	リ

ボウトウ

17

ソフトクリーム

18

ク	モ	ガ	ク	レ		**ヒ**	ヨ	コ
モ	ヤ	イ		キ	ン	ジ		ウ
マ		イ	ワ	シ		ユ	カ	タ
	キ	ン	**コ**		ウ	ン	テ	イ
レ	ク		ウ	ド	ン		**キ**	ヒ
ク	ラ	**ウ**	ド		デ	バ	ン	
イ	ゲ	タ		カ	イ	リ		ホ
エ		ヒ	ツ	ジ		ウ	ロ	コ
ム	ス	メ		ヤ	エ	ム	**グ**	ラ

ヒコウキグモ

19

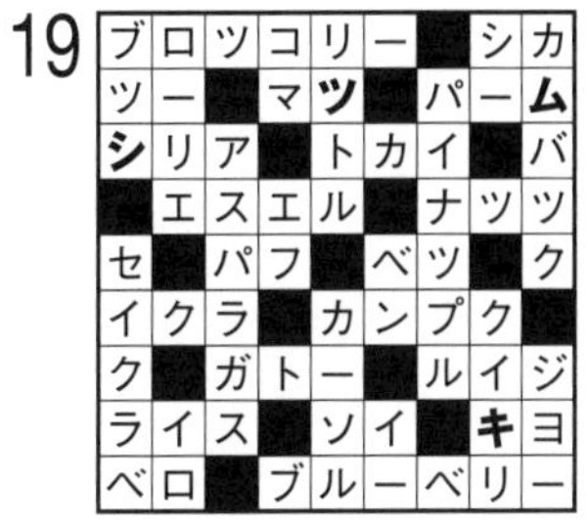

ムキシツ

20

ハナザカリ

21

ホイツスル

22

ガイコウカン

23

ラ	イ	ム		ケ	イ	ヨ	ウ	シ
ツ	ー	シ	**ヨ**	ツ	ト		チ	ソ
パ		ロ	ウ	カ		キ	ユ	ウ
ノ	コ		シ	ン	チ	ヨ	**ウ**	
ミ	ツ	シ	ヨ		ガ	ク	フ	ウ
	ク	ガ	ク	セ	イ		ク	チ
キ	リ	ツ		メ	ダ	マ		カ
カ	サ		ア	ン	ナ	イ	**ヤ**	ク
イ	ン	パ	ク	ト		ム	リ	シ

ヨウヤク

24

ス	フ	レ		コ	ド	モ	ノ	ヒ
カ	リ	ン	ト	ウ		ノ	ー	ト
シ	ー	タ		チ	ユ	**ウ**	ヒ	
	エ	ル	フ		ク	リ	ツ	ク
ビ	ー		ロ	ー	ス		ト	サ
カ	ジ	ト	リ		エ	モ	**ノ**	
	エ	**ン**	ダ	カ		ロ	ー	マ
タ	ン	カ		シ	ユ	ツ	ラ	ン
フ	ト	ツ	パ	ラ		コ	ン	ト

ノウエン

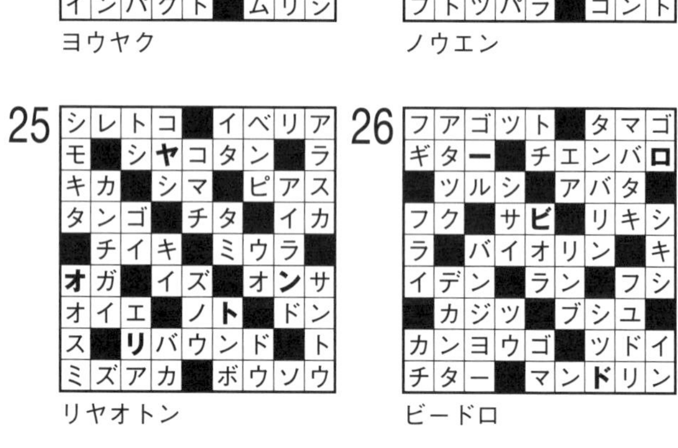

25

シ	レ	ト	コ		イ	ベ	リ	ア
モ		シ	**ヤ**	コ	タ	ン		ラ
キ	カ		シ	マ		ピ	ア	ス
タ	ン	ゴ		チ	タ		イ	カ
	チ	イ	キ		ミ	ウ	ラ	
オ	ガ		イ	ズ		オ	**ン**	サ
オ	イ	エ		ノ	**ト**		ド	ン
ス		**リ**	バ	ウ	ン	ド		ト
ミ	ズ	ア	カ		ボ	ウ	ソ	ウ

リヤオトン

26

フ	ア	ゴ	ツ	ト		タ	マ	ゴ
ギ	タ	**ー**		チ	エ	ン	バ	**ロ**
	ツ	ル	シ		ア	バ	タ	
フ	ク		サ	**ビ**		リ	キ	シ
ラ		バ	イ	オ	リ	ン		キ
イ	デ	ン		ラ	ン		フ	シ
	カ	ジ	ツ		ブ	シ	ユ	
カ	ン	ヨ	ウ	ゴ		ツ	ド	イ
チ	タ	ー		マ	ン	**ド**	リ	ン

ビードロ

27

ト	ロ	イ	カ		シ	ヨ	ク	**フ**
ウ	**ス**		フ	ハ	ツ		ロ	ウ
キ		ジ	エ	イ	タ	イ		リ
オ	カ	ツ	テ		カ	ン	シ	ヨ
リ	ブ		ラ	イ	ブ		マ	ク
ン		コ	ス	タ	リ	カ		ハ
ピ	**ア**	ノ		バ		キ	**レ**	ツ
ツ	バ		ナ	サ	ケ		タ	デ
ク	ラ	シ	ノ	**ミ**	チ	ゾ	ー	ン

フアミレス

28

ジ	コ	シ	ヨ	ウ	カ	イ		ス
ユ	**ー**	モ	ア		キ	マ	**リ**	テ
モ	ト		ケ	**ピ**	ン		ヨ	ツ
ン		メ		ツ		ホ	ウ	**キ**
	タ	ロ	ツ	ト	カ	ー	ド	
ツ	イ	ン		イ		ム		ヘ
カ	マ		メ	ン	ツ		**グ**	ン
イ	**ン**	タ	イ		バ	タ	ア	シ
マ		マ	ジ	ヨ	サ	イ	バ	**ン**

ピンキーリング

29

ワ	リ	バ	シ		ジ	ヨ	ー	ク
ル	ス		ジ	ハ	**ン**	キ		ロ
ア		ダ	ン	サ		ヨ	ク	メ
ガ	ク	シ		ミ	ミ	ウ	チ	
キ	リ		**カ**	シ	ツ		**サ**	カ
	ア	ク	ジ	ヨ		ス	キ	ー
ホ	ゲ	イ		ウ	ノ	ミ		リ
ネ		**ツ**	ジ	ギ	リ		**ラ**	ン
ミ	チ	ク	サ		ト	ラ	フ	グ

ラツカサン

30

ヒ	ニ	ク		ム	コ	ウ	モ	チ
イ	ホ	**ウ**	ジ	ン		チ	ギ	ヨ
キ	ン		バ	ク	シ	ユ		ウ
	ブ	ク	**ン**		ヨ	ウ	バ	イ
チ	ヨ	ウ	チ	ヨ	ウ	フ	ジ	ン
ド	ウ	ゲ	ン		**セ**	ク	ト	
リ		キ	カ	ネ	ツ		ウ	バ
ア	マ	リ		ヤ	カ	**イ**	フ	ク
シ	ユ	ツ	ゲ	キ		オ	ウ	ト

ウンセイ

31

ネ	ツ	タ	イ	ヤ		サ	ケ	
マ	ク	ラ		マ	ツ	サ	ー	**ジ**
キ	リ		ト	イ	レ		キ	ヨ
	ツ	ヅ	リ		コ	シ		ウ
タ	ケ		ユ	カ		テ	ツ	ヤ
ヌ		カ	フ	**エ**	イ	ン		ト
キ	タ	イ		バ	ツ		ノ	ウ
ネ		カ	ヤ		パ	ン	ク	
イ	ソ		カ	コ	ク		タ	バ
リ	バ	ウ	ン	ド		ダ	ー	ツ
	ユ	メ		モ	ー	ニ	ン	**グ**

ネグリジエ

32

カ	ワ	ナ	カ	ジ	マ		ニ	**セ**
ン		サ	ン	**タ**		シ	ユ	ミ
ワ	タ		ザ	イ	リ	ヨ	ウ	
キ	**ン**	ボ	シ		ヨ	ウ	ガ	シ
ユ	ソ	ウ		シ	カ		ク	ミ
ウ		シ	シ	ユ	**ン**	キ		ユ
ダ	マ		マ	ト		ホ	ツ	レ
イ	ン	ロ	ウ		マ	ン	**ゴ**	ー
	ジ	ン	**マ**	シ	ン		ウ	シ
シ	ユ	ゴ		ヤ	カ	タ		ヨ
オ	ウ		ヨ	コ	イ	ツ	セ	ン

オンセンタマゴ

33

メ	カ		オ	ラ	ト	リ	オ	
ダ	**イ**	ヤ	モ	ン	ド		ウ	タ
シ		キ	ユ	ウ		ニ	セ	ン
ボ	イ	ン		エ	ダ	ゲ		コ
ウ	エ		**シ**	イ	ン		**ノ**	ブ
	モ	メ	ン		ジ	エ	ー	
ス	ト		ク	**イ**	キ		マ	マ
ソ		キ	ウ	ツ		タ	ル	ト
ア	ラ	**シ**		パ	イ	ン		ハ
ゲ	ン		ミ	ツ	カ	**ボ**	ウ	ズ
	ド	タ	キ	ヤ	ン		ム	レ

イボイノシシ

34

エ	イ	**エ**	ン		セ	カ	イ	
ニ	ゴ	ン		ロ	ツ	ク		メ
ツ		カ	オ		ブ	**ン**	メ	イ
キ	ロ		マ	ト	ン		ハ	バ
	バ	ケ	モ	ノ		カ	ナ	メ
ト		ツ	リ		ザ	イ		ン
ウ	サ	ギ		オ	ン	ガ	ク	
ヒ	ユ		エ	ニ	シ		ゲ	シ
コ	ウ	**ケ**	ン		ヨ	キ		チ
ウ		シ	ガ	イ		ア	シ	ユ
	ト	キ	ワ		サ	**ツ**	カ	ー

ケンエツ

チエツクメイト

ドリンク

ユウダチ

ダイヤモンド

ミギクリツク

タイザンメイドウシテ
ネズミイツピキ

41

テ	ン	セ	イ	■	イ	イ	ト	コ
グ	■	ン	■	イ	ツ	セ	■	リ
ス	ラ	イ	ム	■	**カ**	イ	セ	ツ
ネ	オ	ン	サ	イ	ン	■	イ	ム
■	ス	■	ク	ツ	■	ク	**チ**	エ
レ	■	カ	イ	シ	ヨ	ウ	■	ン
ベ	レ	ー	■	ユ	ビ	■	コ	■
ル	イ	■	オ	ン	ヨ	ウ	**ド**	ウ
ア	**キ**	ア	キ	■	ウ	ラ	モ	ン
ツ	■	キ	シ	ヨ	■	ナ	■	ド
プ	ラ	チ	ナ	■	セ	イ	ト	ウ

カチドキ

42

メ	ソ	ポ	タ	ミ	ア	■	ナ	ス
イ	ク	リ	ン	■	**イ**	ト	ゾ	コ
キ	**ド**	■	サ	カ	■	ケ	■	ア
ユ	■	テ	イ	ー	タ	**イ**	ム	■
ウ	ネ	リ	■	テ	ン	■	シ	タ
イ	■	ア	オ	**ン**	ソ	ク	■	イ
リ	カ	■	シ	コ	■	レ	キ	シ
■	ラ	**ジ**	エ	ー	タ	ー	■	ヨ
ケ	■	ゼ	■	ル	ビ	■	**ヤ**	ク
シ	エ	ル	**パ**	■	ニ	サ	ン	カ
キ	リ	■	ス	タ	ン	ト	マ	**ン**

メイドインジヤパン

43

ウ	ス	バ	カ	ゲ	ロ	ウ	■	オ
ヘ	リ	■	カ	ン	ケ	ツ	セ	**ン**
ン	■	タ	シ	**ザ**	ン	■	ナ	シ
■	ミ	ケ	■	イ	■	ウ	カ	ツ
ネ	ツ	■	シ	カ	**ジ**	カ	■	コ
ジ	ユ	ウ	ナ	ン	タ	イ	ソ	ウ
リ	■	ナ	イ	リ	ク	■	ツ	カ
ハ	レ	ギ	■	ヨ	■	ボ	キ	■
チ	**ゲ**	■	ト	ウ	ケ	ツ	■	ヌ
マ	エ	ウ	リ	ケ	**ン**	■	オ	**イ**
キ	■	ハ	コ	イ	リ	ム	ス	メ

ヘンゲンジザイ

44

モ	ゾ	ウ	シ	■	オ	ト	メ	**ザ**
ノ	■	メ	ダ	マ	ヤ	キ	■	ル
オ	ウ	ボ	■	ナ	■	ド	グ	ウ
ボ	■	シ	テ	イ	セ	キ	■	ド
エ	サ	■	イ	タ	ミ	■	ヨ	ン
■	ト	ウ	キ	■	コ	コ	ロ	■
ド	ウ	■	ア	ク	ロ	■	イ	チ
ラ	■	ト	ツ	レ	ン	ズ	■	ユ
イ	ド	ウ	■	ー	■	イ	オ	ウ
ア	■	ゴ	ハ	ン	ツ	ブ	■	ゴ
イ	モ	ウ	ト	■	キ	ン	ゾ	**ク**

モザイク

45

ア	ル	フ	ア	■	シ	ン	ゴ	ウ
レ	イ	■	ラ	ガ	ー	■	セ	キ
ン	■	ラ	**レ**	ツ	■	ビ	ン	■
ジ	セ	イ	■	キ	セ	**ツ**	フ	ウ
■	キ	ン	シ	■	カ	グ	■	サ
カ	ユ	■	ヨ	ウ	イ	■	カ	ギ
キ	■	ボ	ウ	■	シ	モ	ン	■
ヨ	ウ	**キ**	ユ	ウ	■	ヨ	ミ	セ
■	グ	ン	■	シ	**ヨ**	ウ	■	イ
マ	イ	■	オ	ロ	シ	■	カ	ブ
エ	ス	エ	フ	■	ズ	イ	ヒ	ツ

レツキヨ

46

サ	シ	ミ	■	ウ	**シ**	ロ	ガ	ミ
ル	■	ツ	**キ**	ミ	ソ	ウ	■	カ
ノ	ツ	ペ	ラ	ボ	ウ	■	カ	ン
コ	ウ	イ	■	ウ	■	シ	メ	■
シ	カ	■	ア	ズ	キ	ア	**ラ**	イ
カ	■	シ	**ワ**	■	ヨ	イ	■	ツ
ケ	イ	セ	イ	ゲ	カ	■	ハ	タ
■	タ	イ	■	ツ	■	ト	ー	ン
ザ	コ	■	ジ	ヨ	ロ	ウ	グ	モ
ク	■	キ	ユ	ウ	**シ**	ヨ	■	メ
ロ	ク	ロ	ク	ビ	■	ウ	テ	ン

ザシキワラシ

47

ポリエチレンテレフタレート

48

ワラシベチヨウジヤ

49

テイキケン

50

コンクール

51

マカフシギ

52

ゾウモツ

53

ツ	キ	ユ	ビ	■	ド	ロ	ヌ	マ
メ	モ	■	オ	**ペ**	ラ	■	カ	ス
ノ	■	ブ	ラ	ー	ム	ス	■	ゲ
ア	プ	リ	■	パ	■	ナ	**ト**	ー
カ	ラ	■	ロ	ー	マ	■	ラ	ム
■	シ	ヨ	ウ	ド	ウ	ガ	イ	■
パ	ー	■	カ	ラ	ス	■	ア	バ
ネ	**ボ**	ウ	■	イ	■	ヘ	ル	ス
リ	■	ロ	ウ	バ	シ	ン	■	ケ
ス	カ	■	セ	ー	**ル**	■	ポ	ツ
ト	リ	セ	ツ	■	シ	ユ	ー	**ト**

ペツトボトル

54

ク	チ	グ	ル	マ	■	ビ	**デ**	オ
イ	■	ウ	イ	ー	ク	エ	ン	ド
ア	カ	ジ	■	ケ	シ	ン	■	ロ
ワ	**ン**	■	リ	テ	ン	■	キ	カ
セ	ツ	コ	ツ	イ	■	ミ	ツ	シ
■	オ	ー	プ	ン	カ	カ	ク	■
フ	ー	ド	■	グ	ツ	ド	バ	イ
コ	ネ	■	ハ	リ	コ	■	**ツ**	ジ
ウ	■	**セ**	イ	サ	■	カ	ク	ン
ヘ	ビ	ー	ユ	ー	ザ	ー	■	デ
イ	ク	ジ	■	チ	ル	ド	レ	ン

デンセツ

55

モ	ロ	ヘ	イ	ヤ	■	モ	ウ	フ
ノ	シ	■	ワ	キ	ミ	チ	■	ル
サ	■	バ	ク	■	ハ	**ヤ**	ウ	マ
シ	**マ**	イ	■	チ	リ	■	ド	ラ
■	メ	ン	ツ	ユ	■	サ	ン	ソ
ワ	■	ミ	レ	ニ	ア	ム	■	ン
ラ	リ	ー	■	ジ	ユ	ゲ	ム	■
ナ	ン	■	プ	ア	■	タ	**イ**	ヒ
ツ	ゴ	**モ**	リ	■	ア	ン	■	キ
ト	■	ズ	ン	ド	ウ	■	オ	ニ
ウ	ザ	ク	■	ス	ト	ラ	イ	ク

ヤマイモ

56

シ	ナ	ギ	レ	■	オ	ン	エ	ア
ア	イ	ア	イ	ガ	サ	■	ホ	ウ
サ	ト	■	セ	リ	■	ヒ	**ン**	ト
ツ	■	ダ	イ	レ	ク	ト	■	ロ
テ	**カ**	セ	■	オ	イ	**ス**	タ	ー
■	メ	イ	バ	■	ケ	ジ	メ	■
ギ	ン	セ	カ	イ	■	ナ	ン	ド
ブ	■	ツ	ラ	ノ	**カ**	ワ	■	ク
ア	ズ	キ	■	コ	エ	■	ハ	キ
ツ	ボ	■	ホ	リ	ダ	シ	モ	ノ
プ	**ラ**	ト	ン	■	マ	ル	ノ	コ

スツカラカン

57

ヒ	メ	ジ	ジ	ヨ	ウ	■	ブ	リ
エ	**ン**	■	セ	■	ド	ウ	タ	ク
イ	■	ダ	イ	ジ	■	**カ**	イ	ギ
ザ	イ	イ	■	ヨ	ウ	イ	■	エ
ン	■	**ブ**	ラ	ウ	ス	■	ク	ン
■	オ	ツ	■	モ	■	キ	リ	■
ト	キ	■	キ	**ン**	イ	ン	■	コ
ケ	■	ト	ク	ド	■	カ	ロ	ウ
イ	カ	リ	■	キ	ツ	ク	■	ヤ
ダ	ザ	イ	フ	■	バ	■	モ	**サ**
イ	ン	■	ヨ	ウ	メ	イ	モ	ン

ブンカイサン

58

メ	**イ**	サ	ク	■	シ	ヨ	ク	ヒ
オ	ケ	■	ウ	ド	ン	コ	■	ノ
ト	■	チ	コ	ク	■	**ナ**	マ	エ
イ	ジ	ユ	ウ	■	カ	ミ	■	ウ
ワ	ヨ	ウ	■	コ	ジ	■	カ	マ
■	ナ	イ	シ	ヨ	バ	ナ	シ	■
タ	ン	■	**ヤ**	ミ	■	ガ	ツ	ク
ベ	■	ミ	リ	■	ダ	イ	キ	チ
ア	ン	ヨ	■	シ	ツ	キ	■	ナ
ル	■	ウ	チ	マ	ゴ	■	サ	**ラ**
キ	ミ	**ガ**	ヨ	■	ク	チ	バ	シ

ナイヤガラ

59

ド	ウ	カ	セ	ン	■	キ	シ	ユ
ブ	**ツ**	モ	ン	■	ス	ヌ	ー	ズ
イ	■	ノ	ゾ	キ	ミ	■	**ト**	コ
タ	カ	ハ	■	ヨ	レ	イ	■	シ
■	ヤ	シ	**ガ**	ニ	■	チ	ギ	ヨ
ヨ	ツ	■	ラ	ン	チ	■	**モ**	ウ
コ	ク	シ	■	カ	リ	ヨ	ン	■
ア	■	オ	マ	ケ	■	テ	フ	キ
ナ	**ベ**	■	ホ	ン	タ	イ	■	ヤ
シ	ン	ド	ウ	■	ナ	ガ	ア	メ
キ	キ	テ	■	リ	ダ	イ	ヤ	**ル**

ベルガモット

60

マ	ド	グ	チ	■	ヒ	ツ	コ	シ
ゾ	ル	■	ヤ	ク	ミ	■	**ル**	カ
■	メ	イ	ボ	ウ	コ	ウ	シ	■
ス	ン	ワ	■	カ	■	ヨ	カ	ワ
キ	■	ク	ニ	イ	**ツ**	キ	■	ジ
ユ	ウ	ラ	ン	■	キ	ヨ	ジ	ン
ー	■	ト	**ク**	シ	ヨ	ク	■	デ
バ	イ	モ	■	ナ	■	セ	ソ	ン
■	カ	ミ	ナ	リ	ノ	ツ	ボ	■
ザ	**ス**	■	ル	オ	ー	■	サ	サ
マ	イ	ア	ミ	■	ト	レ	ン	ド

ルツクス

ニコリ出版物のお知らせ

＊2023年5月現在　＊本の定価はすべて10%の消費税込みです。

下記以外にもいろんな種類のパズル本がございます。
詳細はニコリホームページをご覧ください。

世界最強のパズル総合誌

パズル通信ニコリ

●季刊(3、6、9、12月10日発売)
●B5変型
●定価1210円(181号から)

クロスワード55問をハンディサイズに　●新書判　●定価各682円

いつでもクロスワード1、2、5〜7

ノーマル40問と変わり種16問を収録　●A5判　●定価各814円

いろいろクロスワード1〜3

クロスワードの新定番。60問以上収録　●新書判　●1〜3巻定価各792円　4、5巻定価各825円

withクロスワード1〜5

各年1問のパズルと解説で平成を大づかみ　●A4判　●定価1925円

平成クロスワード

43問のクロスワードで四季を感じよう　●A5判　●定価935円

クロスワード春夏秋冬

世界一の大きさ！　66,666語

メガクロス 書籍版

●定価38,500円

新作漢字パズルを20種類以上収録　●四六判　●定価935円

漢字パズル百花繚乱

19種、70問以上を収録した総集編　●四六判　●1巻定価935円　2巻定価968円

漢字パズルコレクション1、2

ニコリ誌掲載作品から48問を厳選　●A4判　●定価1100円

ことばさがしパズル　ニコリのシークワーズ

入手方法

ニコリ出版物は全国の書店でご購入いただけます。店頭になくても、送料無料でお取り寄せができます。また、インターネット書店でも取り扱っています。

ニコリに直接ご注文の場合は、別途送料・手数料がかかります。ニコリ通販担当（TEL:03-3527-2512）までお問い合わせいただければ、ご案内をお送りします。

1冊1種類の単行本

ペンシルパズル三昧シリーズ

カックロ1、2　スリザーリンク1、2　●新書判　●定価各825円

フィルオミノ1　●新書判　●定価935円

カックロ中上級1〜3
スリザーリンク中上級1〜3　●四六判　●定価各935円

過去の単行本をピックアップして復刻

復刻版パズル本シリーズ　●新書判　●定価各825円

カックロ1　スリザーリンク1
推理パズル1

ペンシルパズル本の復刻版合本　●新書判

ペンパ全集　**推理パズル1**　●定価990円

カックロ2、3　数独1
スリザーリンク2、3　●定価各1375円

ニコリ直販ショップ

ニコリ出版物をインターネット上で購入することができる直営売り場を開設しています。在庫わずかな出版物の限定販売や、ニコリ出版物を1年間お届けする「サブスク」サービスもご用意していますよ。

ニコリ直販ショップ
https://nikolidirectshop.stores.jp/

デジタルデータ販売

ニコリ出版物のデジタルデータ（PDF形式）を買えるウェブサイト「デジニコ支店」というものがあります。現在『決定版数独』『オモロパズル大全集』など、過去の出版物40冊以上のデータを販売中です。閲覧用のソフトウェアや紙への印刷手段をご用意のうえ、お楽しみください。

ニコリ　デジニコ支店
https://nikoli.stores.jp/

2023年５月10日　初版第１刷発行
●発行人　安福良直
●編集人　竺友信
●発行所　株式会社ニコリ
〒103-0007　東京都中央区日本橋浜町3-36-5
日本橋浜町ビル３Ｆ　TEL:03-3527-2512
https://www.nikoli.co.jp/
●印刷所　中央精版印刷株式会社

ISBN978-4-89072-491-8　C0276
・乱丁、落丁本はお取り換えいたします。